「好きだ」と告げて、からだも繋げた。ふつうの恋愛ならこれで一応の安定を得られるのに、遼相手だとそうはならないのが厄介だった。遼は英之とこういう関係になっても決して自分から「好きだ」とはいわない。意地っ張りだとか、照れているとか、単に言葉の表面上の問題ならいいのだが、彼の場合はもっと根が深そうだった。

SHY NOVELS

音無き世界

杉原理生
イラスト 宝井理人

CONTENTS

音無き世界

第一部

1

父が若き日に友人たちと撮った8ミリフィルムのコレクションのなかに、短い作品にもかかわらず、強烈に印象に残っている映像がある。

決してナイフのようにとぎすまされた洗練さを放つものではなく、毒々しい奇抜さを狙ったものでもないのだが、その映像は奇妙なほど静かに英之《ひでゆき》の心に落ちてきた。

モノクロのフィルムのなかに、日当たりのよい部屋が映しだされる。カラー映像ではないのに、光の濃淡のみで描かれる世界は豊かだった。窓ぎわに立つのは、ひとりの若い男。整った容貌は水のように涼やかで、晴れた空のように澄んでいた。

カメラは男の前にあるダイニングテーブルをとらえる。テーブルの上には、レコードプレーヤーが置かれていて、針を落とされたレコード盤《ばん》が回っている。室内に音楽が響き渡っているのはたしかだが、その映像に音声はついていなかった。男は目を細め、やわらかい笑みをたたえながら、なにかを凝視している。レコード盤が回転するのを見ているのかと思われたが、違った。視線の先にあるのは、レコード盤ではなく、テーブルの反対側だった。

幼稚園ぐらいの、小さな男の子がいる。子どもは笑顔で、ふっくらとした丸い頰は日差しを反射して輝いていた。目を閉じて、おそらくレコード盤が奏でる音楽のリズムに合わせて、からだを左右に揺らしている。お遊戯会のダンスを眺めるような、微笑ましい場面だった。整った目鼻立ちは、窓ぎわに佇《たたず》む男と血縁にあることを伝えていた。

一見すると、若い父親と子どものホームビデオのように見えるが、カメラがとらえる映像は一コマごとに光の濃淡から精緻《せいち》に計算されつくしたもので、単なる記録ではなく、演出を極限までそぎ落とした「作品」だった。その映像が目に溶《と》け込《こ》むようなあたたかさをもっているのは、フィルムをつつみこむ独特の情感のせいだった。

考えてみれば、過剰な自意識の集合体であるような、若き日の映研仲間たちで撮ったフィルムのなかで、その映像が目立つのは当然の結果かもしれなかった。

父はその映像のカメラを回したのは自分だといい、作品自体は映っている友人のものだと教えてくれた。

「ひどく絵になる男だろう」

そう評しただけで、父はその友人について多くを語らなかった。名前は「笹塚眞一《ささづかしんいち》」——映像の作者の情報として、英之が知り得ているのはそれだけだった。

時間にして十分にも満たないフィルムだった。

ストーリーのある作品の一部なのか、それだけで完結しているのかどうかもわからない。詳しいことは聞く機会を逸してしまった。幼い頃は父の撮った映像を喜んで見たが、やがて自分も趣味で撮るようになって映画の世界にのめり込んでからは、親子で映画についての議論を闘わせることすらしなくなったからだ。

映画配給会社に就職したときには、父がうれしげに「こいつは子どもの頃から俺に似たのか、8ミリを撮っていて——」と周囲に吹聴していたことを知っても、影響を受けたことは認めなかった。英之が自然に「父も映像が趣味で……」と口にできるようになったのは、映画配給会社を退職してフリーの映画ライターになり、母が亡くなってしばらくたってからだった。

いまでも時折、父の友人の笹塚眞一が撮った、父子の映像がふっと思い浮かぶことがある。なにがそんなに鮮烈だったのか。意味があるわけではなく、思念の切れ端のように心のなかをゆらゆらと漂って消えない映像だった。

久々にそのモノクロフィルムのことを思い出したのは、友人の三橋《みはし》の家でフィルムコンテストの映像を見ていたときだった。

「おい、どうだ。面白いの、あったか？」

水原《みずはら》英之は「うん……」と軽く伸びをする。腕を伸ばしたついでに時計を見ると、午後十一時を過ぎていた。昨夜はほとんど寝ていないから、眠くもなるはずだ。

三橋の一ＬＤＫの部屋は、無機質な印象のインテリアで趣味よく調えられていたが、雑誌やら服やらがソファやテーブルの上に乱雑に広げられ、お世辞にも綺麗とはいいがたかった。

「いまのところは、まあまあって感じかな」

英之はシャツのポケットから煙草《たばこ》の箱をとりだしてから、ここが禁煙だということに気づく。ためいきをついて、仕方なく火をつけないまま口に一本くわえた。

寝不足のせいで少しやつれてはいたが、英之の彫りの深い顔立ちは綺麗に整っていた。背が高く、肩幅もあって手足が長いので、すれ違う女性が格好いいと目を止めるほどには目立つ容姿だ。憂《うれ》いのある目許《めもと》は、少し神経質そうで、繊細そうと評されることもある。

フリーで仕事をしているせいか、英之は勤め人の同級生からは二十八歳になったいまでも「若い」といわれる。暗に「おまえは気楽でいいな」という意味が含まれているのは知っているので、褒《ほ》め言葉《ことば》だとは受け取っていない。

「まあまあ？　ほんとか？」

デスクでパソコンを見ている英之に対して、三橋はカウンターキッチンのなかでコーヒーを淹《い》れながら不満そうな声をあげる。

三橋尚吾《しょうご》は映画配給会社にいたときの先輩だ。宣伝部にいたキャリアを活かして、いまは映画宣伝会社に勤めている。単館上映するような映画の宣伝を担当しており、女性向けの情報誌と共同で映画サイトを立ち上げたばかりだった。そこで企画したフィルムコンテストの応募作品を見てみないかと誘われて部屋を訪れたのだが、粒ぞろいの傑作が集まったから見にこいというわけではなく、どちらかというと「酷すぎるから見てくれ」ということらしい。

第一回ではコンテストのカラーもないし、さまざまな傾向のものが集まっているという意味では「狙っている」作品がないぶん、面白みがあっていいのではないかと思ったが、三橋の口は辛辣《しんらつ》だった。

「いや、もうタイトルの羅列を見ただけで、駄目だよね。そりゃ『オシャレな映画好き』ってコンセプトのサイトだけどさ、タイトルが見事なほどに英語ばっかりなんだよ。こうも多いと、もう見ただけで、『また横文字か』って印象に残らない。あとはサブカル系に影響受けたようなカタカナな。洒落《しゃれ》てなくても日本語のタイトルをつけてきただけで、どんなにつまらねぇ映像でもインパクトあるよ」

「ほらよ」と背後から差しだされたマグカップを受けとりながら、英之は苦笑する。

「三橋さんを満足させたかったら、つまんねえ映像でもいいから、タイトルは日本語で書け、と」

「そうそう」

「俺は好きだけど。タイトルには意味がないほうが。むしろ記号でかまわない」

「なんだよ。かわいくねえなあ」

三橋の眼鏡《めがね》をかけた顔立ちは柔和かつ知的に整っていたが、甘めの容姿の印象に反してその口舌は鋭かった。

英之も「若い」といわれるが、三橋はもっと若い。二つ年上だが、上背がある英之よりも確実に年下に見える。同じ会社で働いていた頃から、「年下のくせに、落ち着いてて生意気だ」と理不尽なことで突っかかられてうるさいと思っていたが、会社を辞めてしまったいまでは一番親しくしているのだから不思議だった。

「これは？　三橋さんの好きな日本語のタイトルじゃないですか。『無音《むおん》』――？」

ファイルに付けられたタイトルに興味をひかれてク

リックすると、映像が再生されはじめた。三橋が後ろから覗き込みながら「ああ、それな」と渋い声をだす。

「それ作ったやつ、俺の母校の映研のやつなんだけどな」

その声は英之の耳には入っていなかった。再生された映像に、目が釘付《くぎづ》けになっていたからだ。

白いバックの中央に、最初は点かと思うほどの小さく読みとれない大きさで、手書きのタイトルが書いてある。徐々にタイトル文字が大きくなってくるが、ようやく読める大きさになった瞬間、背景からの白い光に吹き飛ばされて文字は散っていく。

代わりに出現したのは、光の濃淡のみで描かれる、色も音もない、モノクロの世界だった。日差しに照らされた部屋がロングショットで映しだされる。窓ぎわには、青年がひとり立っている。シンプルなデザインのダイニングテーブルの上に置かれたレコードプレーヤー。レコード盤が回り、部屋のなかには音楽が聞こえているのはわかるが、映像はあくまでも静寂に支配されていた。

記憶のなかにある、父の友人の「笹塚眞一」が撮った映像とそっくりだった。窓がぼんやりと浮かびあがるような、やわらかな光と影のコントラストのなかで、窓辺に佇む男。

逆光に包まれている青年の端整な顔立ちは、奇妙なほど「笹塚」に似ている。ただし、違うのは、男というよりもまだ少年の面差しを残していることだった。背は高いようだったが、ひどく華奢《きゃしゃ》で、その驚くほど整った顔立ちは笹塚よりも若いせいか、中性的だった。手足がすらりと伸びていて、からだつきは細いとはいえすでに男を意識させるものなのに、伏し目がちになっている薄い瞼《まぶた》、長く震える睫毛《まつげ》、陶器めいた肌の質感をもつ美貌はうまく成長しきっていないアンバランスなイメージを伝えてきた。だからこそ目を離せないような、独特の雰囲気がある。年齢は二十歳《はたち》前後。おそらくあと一年たっていたら、この不安定さは消え

ていたことだろう。綺麗な作りもののようなのに、冴えているようでぼんやりとした青年の視線には妙な色気があった。アップになった途端、英之は息を呑む。

もうひとつ大きな違いは、子どもがいないことだった。笹塚の映像では、男の視線はレコード盤の回転を見つめているのではなく、その先にいる子どもの笑顔に向けられている。

しかし、フィルムコンテストの映像のなかの青年の目は、なにもない宙を見ていた。ちょうど笹塚の映像のなかで子どもが立っていたところを凝視したまま動かない。彼の視線が、レコード盤からそれて、なにもない場所に注がれているのは、観《み》ている側《がわ》からもはっきりとわかるように撮られている。見えないなにかが存在しているかのように。ただ、青年の表情が動かないので、そこに在《あ》るものにどんな感情を抱いているのかはつかめない。

「――どうだ?」

場面が変わったところで、三橋がたずねてきたので、英之は眉をひそめて唸《うな》った。

「綺麗な男だな」

即答すると、背後から頭を叩かれた。

「馬鹿野郎。うちの女の子みたいな感想いうんじゃねえよ。『キャーッ、すごいー、美形っ』、『美少年だよねー』。あいつらはなんもわかってないっ」

「でも、このフィルムコンテスト、ターゲット層はサイト見てるF1層なんでしょ? これで癒されると思ったんじゃないかな。綺麗な男の立ち姿で。一番撮りたいのがそこだとしたら、狙いは潔《いさぎよ》い」

「どんなナルシストだよ」

「そのわりには、演技に抑制がきいてるけど。うるさくない」

フィルムのなかでは、青年が外に出て、先ほど聞いていたレコード盤を空にかかげるようにして眺めている。

「これ、サイレントみたいだけど、筋の通ったストーリーはあるんですか」

「ある。見ててみ。このレコードが、呪いのビデオみたいなもんだな。さっき、この男がレコードを聴きながら、なにもないところをじっと眺めてただろう。レコードを聴いてるときだけ、見えないなにかが現れるらしいんだな。それがなんなのかは、最後まで説明されない。男はひたすら夢中になって、レコードを聴く」

周囲の人間が説得しても、青年はレコードを聴いて、見えないものを見つめ続ける。やがて、それまで黙って見つめているだけだった青年の口が初めて開く。見えない存在に話しかけているようだった。そこでどんなやりとりがあったのかはわからないが、青年は驚愕《きょうがく》に目を見開き、いきなり絶望したようにレコードのプレーヤーを止めて、レコード盤を床に叩きつけて割ってしまう。

レコード盤が割れた瞬間、まるでそれが世界の終わりのように、窓から差し込む光がふくれあがり、画像全体が白くなる。

そして、再び何事もなかったようにモノクロの部屋が現れる。窓辺にはやはり青年が立っている。レコードプレーヤーからはレコード盤は消えている。だが、そこに見えないなにかがあるような青年の視線は変わらない。カメラがアップで青年の顔をとらえる。青年はほんの一瞬だけカメラに目を合わせて笑みを見せたが、すぐにはにかんだように視線を落とす。その目はなにもない宙に注がれる。映像は再びモノクロの部屋が砂が散るように掻き消えていくところで終わっている。

英之は眉間《みけん》に皺《しわ》を寄せて、映像を凝視したまま考え込んだ。

「引っかかるとこあったか?」

「いや。いまの最後の笑顔、女の子だったら、喜んでキャアキャアいいそうだな、と」

「ああ、うちの子たちもキャーキャーいってたいってた。……って、そこしか感想ないのかよ。なんなんだ、あの最後、くだらねー、なんでオチで野郎の恥ずかしそうな笑顔を見なきゃいけないんだ」

「いや……あそこでうまく切り返してるつもりじゃないかな」

映像のなかの人物たちの視線を交わらせずに、印象的にしたい場面だけ視線を合わせて切り返す手法は古い映画でもよく見るが、この場合は対人物ではなく、空間すべてだ。青年はこの世のなにも見ていない。最後の瞬間だけカメラと目が合う。

「後半は作りが雑ですね。ライティングも演出してるふうがないし、カット割も凝《こ》ってない。ストーリーはとりあえずまとめてみました、みたいな……。撮りたかったのは、レコードを聴いてる部屋のシーンだけのような気がする。あそこだけ丁寧に撮ってる。タッチ・ライトをうまく使ってるんじゃないかな。人物の輪郭《りんかく》が綺麗に浮きでてるから」

父の友人の「笹塚」が撮ったのと同じシーンだけ。なぜそう感じたのか。たぶん見比べてみれば、ところどころ細部は異なるはずだ。だが、記憶をなぞって撮るならば、自分も同じように撮影したに違いなかった。

十年以上昔の父の友人の作品と、フィルムコンテストに応募されてきた作品の映像が似ている……。

こんな偶然があるのだろうか。

「まあ、そうなんだろうな。あの最初のシーンはたしかに目が引きつけられる。あとはグダグダだけど。……ったく、中途半端なもん、送ってきやがって」

「知り合いなんですか？」

罵倒の仕方がやけにしつこいような気がしてたずねると、三橋は「ＯＢ会に顔だしてるからな」と顔をしかめた。

「こういうコンテストがあるから、応募作品作って送れって、俺がじかにはっぱをかけたんだ。この主役のやつが、脚本と監督やってて、今回は自分が出てるから相方がカメラ回してる」

「へえ……自分で脚本と監督……この顔で役者じゃないのか」

もう一度動画ファイルを再生させる。シナリオの発想はありきたりだが、オープニングシーンのカット割にはセンスを感じた。

「――そりゃ、詐欺《さぎ》だ」

三橋は苦虫を噛み潰したような顔を見せる。

「詐欺って?」

「その映像のなかじゃ、儚《はかな》げな美青年に見えるかもしれないけど、実際のやつは、そんなイメージじゃねえんだよ。なーに、綺麗にすまして映ってるんだか。あれだ、もっとなんつーか、がさつな男だよ。普通の映像オタク」

映像のなかでは浮世離れしたように見える綺麗な青年が、実際には髪の毛ぼさぼさで、冴えない黒ブチの眼鏡をかけているというマンガみたいな絵を思い浮かべてみた。

「なんだ、三橋さん、彼のこと、けっこう気に入ってるんじゃないですか」

そのくちぶりから、かなり親しいからこそ、こんなふうにけなすのだと察せられた。

「いや、なんか可愛くねえやつでな。今度、飲み会に一緒に行くか?」

「そうですね。人物を綺麗に撮ってるから興味がある」

「やつの顔に惹かれた?」

「いや、顔の映像に。ナルシストだっていうけど、出てるのがもし女性だったら、あのライティングで神々しいくらい理想の美女に映ってたはずだから」

照明の技術は認めているのか、三橋は反論しなかった。

「今度は女優使えっていっておくわ」

「そうですね」

何気なく机の脇に置いてあった、フィルムコンテストのエントリー表をめくる。さきほどは三橋と話をしていてエンディングのクレジットを見ていなかったので、この映像を撮影した代表者の名前がわからなかった。

察したのか、三橋が教えてくれる。

「監督は、笹塚遼《りょう》。いつも組んでるのはカメラの相沢《あいざわ》憲一《けんいち》だな。ふたりとも大学四年。あとは映研のスタッフ六人ぐらいで撮ってる」

笹塚――。

英之はエントリー表をめくる手を止める。

映像の類似点と、出演している青年が父の友人の笹塚に酷似していたことから、もしかしたら……とその可能性が頭の片隅をかすめなかったといったら嘘になる。だが、はっきりと「笹塚」の文字を確認したときには、さすがに驚きに手が震えた。


窓辺に佇む男が見つめていた、テーブルの向こう側で音楽に合わせて笑いながらからだを揺らしていた子ども。あの映像に出てくる男の子を、英之は知っている。

映像の頃には四歳か五歳ぐらいだったのだろう。英之が出会ったときには、子どもは十歳に成長していた。

父の友人である笹塚眞一の息子、笹塚遼――彼とは一カ月ほど寝食をともにしたことがあった。

どういう経緯《いきさつ》で、遼が英之の家にやってくることになったのかはわからない。ある日、突然、父がランドセルを背負った遼を連れてきて、「しばらくうちで預かることになったから」と母と英之に告げた。

当時、英之は高校生で、家族に少し距離を置くような年齢だったため、「わかった」と頷いただけで、詳しい理由をたずねなかった。驚く母を尻目に有無をいわせぬ父の調子から、おそらく質問しても、ほんとうのことは答えてくれないであろうと察せられたからでもある。

父の友人の家族とはそれなりにつきあいがあった。笹塚遼とも、以前に何度か顔を合わせたことがあるはずだが、英之の記憶には残っていなかった。

遼があのモノクロの映像に映っていた男の子だとは、最初気づかなかった。面影は残っているはずなのに、思いつきもしなかったのは十歳になって現れた遼が、映像のなかの子どもとは似ても似つかなかったせいだ。

紹介されても、遼はまともに英之を見ずにうつむいていた。映像のなかのような、天真爛漫《てんしんらんまん》な笑顔はどこにもない。「遼くん」と父にうながされて、ようやく顔をあげたものの、能面のような表情で宙を見ているだけ。英之の顔をちらりととらえても、その視線は素通りしてしまう。

まるで魂はここにはなく、別の世界を見ているような、子どもらしからぬ静かな表情だった。少女めいた綺麗な顔をしていたから、よけいに目をひいた。

(あの子はめったに口をきかないんだ)

遼がいないところで、父が英之にそっと耳打ちをした。

あのサイレントの映像を見たときから、あの子はどんな笑い声をたてているのだろうと思っていた。なのに、実際にはその唇は音を奏でない。

だが、自分はその声を知っている。父や母の前では、遼は口をきかなかったが、英之はよく知っているのだ。その人形のような表情が、子どもらしい好奇心に輝くところも。

(――綺麗だ。綺麗だね)

三橋の家でフィルムコンテストの映像を観た夜、英之は眠りのなかでその澄んだ声を思い出した。

(ありがとう)

浅い眠りから目を覚ますと、時計は朝の五時を過ぎていた。いやにくっきりとした目覚めだった。もう一度眠るのをあきらめてベッドから起き上がる。寝起きの煙草を口にくわえながら窓の外を見た。

――あの子どもは、あれからいったいどうなったのか……。

記憶の断片とともに、窓から見える青い夜明けが瞼の裏を染め上げるように刺激した。

「おう、どうした」

休日の午後、久々に実家を訪れると、父は洗濯の最中だった。

外は秋晴れの良い天気だった。雲ひとつない晴天の下で、五十歳過ぎの男がひとりで洗濯物を干している姿は、淋しさがつきまとう。その背中を眺めながら、父の姿がひとまわり小さくなったような気がして、英之は目をそらした。

母は二年前に亡くなった。すでに受け入れているはずなのに、大学から家を出ているせいもあって、帰ってくるたびに「そうか、母さんはもういないんだっけ」とやわらかな衝撃をくりかえし味わう。じわじわと効いてくるボディブローみたいに、その感覚はなかなか消えない。

「なんだ、なんの用だ？　珍しい」

洗濯を終えると、父は居間のソファに腰かけて、英之のもってきたみやげの和菓子をつまみながら茶をすすった。

「俺が実家に顔をだしたら、まずいのかな」

「用もないのに、くるやつじゃないだろ」

父は見透かしたように笑う。たしかにこんなふうに目的もなく、父と向き合うのは珍しい。

仕事ができて、多趣味で活動的な父だが、その面倒見のよさがたたって部下の女性の相談にのっているうちに不倫関係に陥《おちい》って、母を泣かせたことがある。幸い離婚には至らなかったが、一年近く母は悩まされ続けた。すべてがおさまってからは、「もう過ぎたこと」と穏やかに笑っていた母とは対照的に、英之はどこかで父にひねくれた思いをずっと抱き続けていた。しかし、いまはもう……。

外からはやわらかい秋の日差しが入り込んできて、父の頬を照らしている。小春日和《こはるびより》だったが、ほんとうの春とは違い、秋の陽はこれから近づいてくる凍《い》てついた季節を予感させる淋しさが混じっているような、せつないあたたかさだ。そんな光につつまれて、父の頑固だった面差しは年々厳しさをなくしていく。

　こうして向き合っている父と自分にカメラを向けたら、どんな映像が撮れるのだろうかと考えた。いまだに腹を割って話すことにとまどいを感じるが、それでも父と自分のあいだに流れる空気の色は変わっているのかもしれない。なにも言葉はなくても、変化しているものは画面のなかに切りとられるのだろうか。

「父さん……笹塚さんて、いたよな。父さんの大学時代の友達に」

「笹塚がどうした？」

「古い8ミリのフィルムがあっただろ？　笹塚さんの作品だっていう――男が窓辺に立っていて、音楽に合わせて踊ってる子どもをじっと見つめているやつ。あの映像に映ってた子ども……遼くんて、子どもの頃に、少しうちにいたことあったよな。俺が高校の頃」

「ああ、預かってた。……そうだな、そんなこともあったな」

　父はひとりごとのように呟いた。

「あのフィルムを見たいのか？　どうして、いまごろ？」

「いや……フィルムコンテストに似たような映像が応募されてきて――」

　応募者の名前が「笹塚遼」なのだと伝えると、父は納得したように「ちょっと待ってろ」と席を外した。しばらくすると、ためいきをつきながら戻ってくる。

「……ないな。すまん。すぐには見つからない。捨てるわけはないから、あるはずなんだが。8ミリフィルムは大半テレシネしたから、そのなかには確実にある。このあいだなつかしいって話になって、古い友達にいろいろ貸したばかりなんだ」

　テレシネとは、フィルムをビデオやDVDに変換することだ。

「おまえ、遼くんに会ったのか」

「会ってない。映像を見ただけ」

　父は「――そうか」となにやら含みのある表情で頷く。

もし映像が見つかったら教えてくれと父に頼んで、英之は二階の自室にあがった。高校の頃まで過ごした部屋は学習机も含めてそのままになっている。

机の一番下の引き出しを開けると、箱のなかに編集した8ミリフィルムが眠っていた。いまはもうビデオが主流だが、高校から大学にかけては8ミリの作品を何本も撮影した。ここに残っているのは、高校時代に撮ったものだ。

いまはビデオでもフィルムに近い映像が撮れるとはいえ、あのコマをつないでいくアナログの感覚は独特のものだった。フィルムだけがもつ粒子感、ビデオとは違って明暗がはっきりと描きだされる世界。一コマ一コマにいまでは考えられないほど、たくさんのものを濃い密度で詰め込める可能性があった。

ＤＶＤに変換して観てみようかと思ってフィルムを手にしかけたが、思いとどまった。机の引き出しを開けたのは、なにも自主制作の思い出に浸るためではなく、あるものを探すためだった。


二番目の引き出しを開けると、年賀状などを含めた手紙の束が入っていた。高校のときにつきあっていた彼女がプレゼントをくれたときに一緒につけてくれたメッセージカードまで残っているのを見つけて、物持ちのよさに我ながらびっくりする。

一番上の引き出しには、古いレポート用紙を挟んだファイルがぎっしりと詰まっていた。絵コンテを描いたものだ。

年月日が書かれたファイルをめくっていく。自分の筆跡ではないものがある。小学生にしては、きちんとした字で書かれた文字と、構図だけをシンプルに記した自分の絵よりも、漫画絵だけれども数段緻密に描かれた絵コンテ。折りたたまれたレポート用紙の手紙
――見つけた。これは笹塚遼が書いたものだ。

ファイルとレポート用紙の手紙を手に一階に下りると、父が台所に立って冷蔵庫を覗いていた。「夕飯食べて行くだろ」との問いかけに、一瞬躊躇《ちゅうちょ》する。そのつもりはなかったが、すでになにやら用意しはじめ

ていることを知って気を変えた。

「いまからなに作るんだよ。まだ早いだろ」

「おまえの好きな肉の煮込みを作ってやるよ。あれは時間がかかかるんだ。母さんがレシピを書いておいてくれたのがあるから」

　手間のかかる料理は普段しないのかもしれない。冷蔵庫のなかは、男のひとり暮らしを映すようにがらんとしていた。

「そうだな。母さんの料理でうまいのは、煮込みとかシチューとか。あれはただ材料をぶっこんでおいて時間をかければできるから」

「おい。いまごろ、クシャミしてるぞ」

　笑いあってから、沈黙が落ちる。どこで？　自分たちにはもう声が届かない、遠いところで？

「材料そろってないんじゃない？　俺、買ってこようか。レシピ見せて」

　棚の一角に置かれているクリアファイルを受け取って、英之は必要なものをメモする。

「笹塚のフィルム、もう一度探しておくよ」

　買い物に行くために玄関に行こうとする英之の背中に、父はにこやかに手をあげてみせた。上着を羽織《はお》りながら、ふといままで気になりながらもたずねなかったことを訊く。

「父さん。笹塚さんて、いまどうしてるんだ？」

　振り返ると、父は一瞬固まった顔を見せた。

「――亡くなったよ。もうだいぶ前に」

　頭のなかで、空色の涼やかな笑顔を見せていた男の映像が、砕けて消えた。


　無表情の子どもを笑わせてやる、と考えたのはどうしてだったのか。

　遼は水原家に滞在していた一カ月間、英之の部屋で寝起きしていた。客間で寝かせてもよかったはずだが、父は遼をひとりにしたくないようだった。子ども同士仲良くと親が考えたのはわかるが、高校生と小学生では話が合うわけもない。しかも、父の様子や、口をきかない遼の態度を見ていれば、なにやら訳ありだということもわかる。親の前ではよけいな世話をやかなかったが、部屋でふたりきりになったときには、さすがに英之も気になっていろいろと話しかけた。

大人の前では口をきかなくても、自分には心を開くかもしれない。親たちと同じように単純にそう考えたからだ。

いまは学校でなにが流行《はや》ってるの？　好きなものはなに？　食べたいものは？　うちの母親の料理って下手じゃない？

何気なく話しかけても、返ってくるのは沈黙ばかり。遼は非常に礼儀正しく、おとなしい子どもで、食事が終わってから寝るまでのあいだは図書館で借りてきた本をずっと読んでいた。英之の部屋に敷かれた布団のなかに横たわっても、電気が消えるまでは、それ以外のものを見つめることが怖いように一心不乱に本のページに視線を落としていた。ほっとけるならよかったが、英之は無口な子どもがますます気になってしまった。なぜなら、遼は完全に英之の問いかけを無視しているわけでもなく、話しかけられるたびにわずかに困った様子を見せたからだ。「うちの母親の料理は下手じゃない？」の質問には、「そんなことはない」といいたげにぎこちない動きで首を振ってさえみせた。たぶん世話になっていることに、子どもながらに恐縮していたのだろう。その精一杯の意思表示を、うっかりかわいく思ってしまった。

——笑ったら、もっとかわいいだろうに。

そう考えるのは自然な流れだった。英之の頭のなかには、あの8ミリフィルムの子どもの輝くばかりの笑顔が記録されている。

（なんで口きかないの？）

その徹底的な問いかけはしなかった。おそらく遼はその理由をいうのがいやで、口をきかないのではないかと漠然と感じていたからだ。

やがて部屋にいるときは読んでいる本以外を見ないようにしている遼が、棚に置かれている8ミリカメラに興味深げな視線を向けていることに気づいた。父はカメラを何台か所有していたので、中学生になったときに一台譲ってもらったものだ。

遼の父親も若い頃に映像を撮っていたのだから、当然8ミリカメラをもっているのだろう。英之がそうだったように、親と同じものに関心があるのかもしれない。

英之は父の映写機を借りてきて、いままで撮影したフィルムを自分の部屋で上映してみることにした。父の部屋にはスクリーンがあったが、英之の部屋にはない。本棚の上から白いシーツをかけるようにして、即席のスクリーンを用意する。遼は何事がはじまったのかと驚いた様子だったが、あからさまに気にしている態度はとらずに、ちらちらと目を向けてくるだけだった。

前触れもなく部屋の灯《あ》かりを消したとき、小さな肩が怯《おび》えたように震えたのがわかった。しかし、「どうしていきなり電気を消すんだ」とは問わない。

映写機にフィルムをセットすると、カタカタと音をたててリールが回りはじめる。フィルムにあてられた光が、シーツのスクリーンにコマ撮りされた画像を映写していく。

当時、英之が撮っていたのは、サイレントの映像ばかりだった。そのなかには、芝居を演じる役者がいるわけではない。友人たちを題材に撮らせてもらうことはあったが、台詞《せりふ》をつけたことはなかった。せいぜい十五分ぐらいまでの長さの映像しか撮らなかったから、言葉を加えてしまったら、ワンカットに凝縮したなにかが消えてしまうように思えた。

最初に回したフィルムは、高校の友人たちを撮影したものだった。仲のいい友人たちの生活をそれぞれオムニバス形式で追って行く。見知らぬ高校生たちが登場する映像を、遼はびっくりしたように凝視していた。英之が振り向くと、あわてて見ていない振りをする。だが、視線をそらすと、遼の目は再びフィルムが映しだす世界に吸い寄せられた。

　十五分ほどの短いフィルムが終わって映像が消えた瞬間、「え、もう終わり?」というように遼が英之のほうを見る。英之がちらりと横目をやると、「しまった」という顔つきになった。

　英之は小さく噴きだしながら、映写機に次のフィルムをセットする。「ほら、次のがはじまる」という合図のつもりで笑いながら遼を見た。

　遼は不思議そうに英之を見ていた。映写がはじまると、あわてたようにスクリーンに向き直る。いままでうつむきがちに本ばかり見ていた視線が、自分の撮った映像に熱心に向けられる。その様子を見ているうちに、英之も奇妙な気分に陥った。

　ふたりきりの上映会。映像がシーツのスクリーンの上を流れていくあいだ、リールの回る音だけが室内には響いていた。

　スクリーン上の映像がぼんやりとした四角い光を放つ暗闇のなかで、遼はなにもいわなかった。たったひとりの小さな観客は、黙ったまま食い入るように映像を見つめている。英之もよけいなことをいう気にはなれなかった。光るスクリーンの映像に目を凝《こ》らしていると、暗闇のなかで宙に浮いているような感覚になる。サイレントの世界に自分まで紛れ込んでしまったかのように。

　そのフィルムは五分ほどの短いもので、英之が二階の窓からカメラを設置して撮影した。いつも同じ位置から、カメラはその情景を捉える。電線が見える、ごく普通の住宅街の空。変わらないアングルで切り取られる風景。ただ季節と時間だけが移り変わっていった。

　画面の端に映っている樹木が、春には芽吹き、夏には濃い緑を見せて、四季の移り変わりを知らせる。同じく空の色もさまざまに変化していた。カメラはその色彩の変化を追う。

　たった数分でも、季節ごとに違う表情を撮るために一年の時間がかかっていた。春のやわらかく霞《かす》む空、夏のまばゆい青と入道雲のコントラスト、秋の高い空と散らばるうろこ雲など四季の風景がフィルムには写しとられている。

そして冬の夜明けの空――。

スクリーンを見つめていた遼が、前方にわずかに身を乗りだした。

空気が凍てつくほど、冬の空はくっきりと鮮やかな輪郭を持つ。去りゆく闇と、陽の光が融合する瞬間、空は幾層にも重なった花びらのように複雑なグラデーションを見せて、薔薇色《ばらいろ》に染まる。灰色の重たい雲は、桃紅色に彩られ、紫めいた色合いに変化したあと、すっと色が抜けていくように光を透かす白さを取り戻す。

映像を凝視していた遼の瞳が揺らいだ。鮮やかな色の変化は目を刺すほどで、怖いほど……。

「――綺麗だ」

遼が呟いた。

「綺麗だね。すごく綺麗だ」

彼が話す声を聞いたのは、それが初めてだった。少年らしい澄んだ声は、静かな興奮に震えており、映写しているスクリーンの光に照らされて頬が輝く。「わあ」という歓声につられて、英之も口許をゆるめた。

「――うん、綺麗だろ」

五分間の映像はあっというまに終わってしまった。遼はほうっとためいきをついて、なにも映らなくなったスクリーンを見つめながら、何度も瞬《まばた》きをくりかえした。

「もう一回見たい」

急かされるままに、英之はもう一度フィルムを回した。

まるでいままで口をきかなかったことなど忘れたように、遼は自然に話しかけてきた。

「この空、自分で撮ったの？」

「そうだよ」

「そこの窓から？」

二度目の映写が終わってから、遼は窓へと駆け寄る。窓とカーテンを開けると、ひんやりした夜気がしのびこんできた。きょろきょろと窓から首をだして辺りを見回して、英之を振り返る。

「わかった、この角度だ――！」

遼はカメラが向いていた方向を得意げにいいあててみせた。いきなり無邪気な顔を見せられ、英之はとまどいながらも笑みを返した。

「正解」

なんだ、いままで口きかなかったくせに――そう指摘するのは簡単だったが、口にするのが憚《はばか》られた。

夜の特別の魔法をかけられたみたいに、遼はなめらかに話したが、朝になればすべて消えてしまうような気がした。ふたりきりの静寂と、夜の暗がりとスクリーンの四角い光。これらの条件がそろわなければ、遼は口をきかなかったかもしれない。よけいなことをいったら壊れてしまう。モノクロフィルムに記録されていたのと同じ笑顔が再現されるのを、いましばらく見つめていたかった。

遼は自室でふたりきりになったときには饒舌《じょうぜつ》になったが、相変わらず部屋の外では口をきかなかった。英之も小学生の子どもの面倒をかいがいしく見ていると思われるのが癪《しゃく》で、親の前では遼を特別にかまっているそぶりは見せなかった。

遼にせがまれるままに何度もふたりきりの上映会を開いた。機材を持ち出していたのだから、父が気づいていないはずはないのだが、知らん振りを決め込んでいるようだった。

ふたりきりの上映会では、父のコレクションのフィルムをあれこれ拝借して映写した。だが、遼とその父親の笹塚が出ているあの映像だけは見ることはなかった。見せるべきではないような気がしたからだ。

どうして遼がうちにやってきたのか。なにも説明されなくても、家庭になんらかの問題があることはわかっていた。

一緒の部屋で寝起きしはじめてから、英之は目ざとく気づいてしまった。服を着替えるとき、ちらりと見える遼のほっそりとしたからだに痛々しい痣《あざ》がいくつもあることに。

笹塚遼の連絡先を聞こうとした矢先、三橋から彼らと約束しているから一緒に飲みに行こうと誘われた。彼遼の知り合いだということは、説明しそびれた。彼の子どもの頃のことを話してもいいものか躊躇したせいだ。三橋が語る現在の遼は、英之の知っている遼とは少しばかりイメージが違っている。

ちょうど学祭のための作品のロケの最中だという。大学近くの公園で撮影しているというので、土曜日の午後に三橋と連れ立って現場を訪れた。

公園には七人ほどのメンバーがいた。休憩中なのか、多くがベンチにぐったりと座っている。レフ板が樹木のそばに置かれて、午後の傾きかけた光を反射していた。

英之は緊張しながら学生たちの顔を見たが、フィルムコンテストの映像で見た遼らしき人物はいなかった。三橋は映像に映っているのは「詐欺だ」といったが、どれほど実物と違うのか想像もつかない。

三橋の顔見知りらしい学生が、「こんちはー」と口々にあいさつする。

「笹塚はどうした？　トイレか？」

「コンビニに飲み物買いに行ってますよ」

カメラのレンズをいじっていた男子学生が答える。短髪で浅黒い肌をした、生真面目そうな青年だった。直感で、これが遼といつも組んでいる相沢憲一かと察する。

「おまえら、監督をパシリにしてこきつかってるのかよ。……ったく、しようがねえな」

三橋が顔をしかめると、学生たちのあいだに笑いが広がった。

自主制作の監督など、そんなに偉いものではない。

自分の撮りたい作品を作るために、周囲にお願いして協力してもらうのだから、自らが率先してフットワークよく動く。

ベンチに座っていた女子学生が心外そうに三橋を見た。

「ひどい。こきつかってないですよ。だって、笹塚さん、ひとに頼まないで行っちゃうんだもの。でもまあ、ペットボトルのお茶ひとつ選ぶのだってお気に入りがあるから、自分で行ったほうがいいんだろうけど」

「なんだ、そりゃ」

「難しいひとなんですよ」

女子学生はしたり顔で評する。

「全部自分でやらなきゃ気がすまないんだよね」

その隣からも同じ意見が飛ぶと、カメラをいじっていた青年がいさめるように女子学生たちを振り返った。

「でも、時々、ひとりでジタバタしてるから、かわいいとこもあるだろ」

女子学生たちは「たしかに」と頷く。

「絶対ひとに助けを求めないんだよね。徹底してるもん。頑固ー」

「だから、『監督』なんだろ」

学生たちは楽しそうに笑いだす。

フィルムコンテストで見た繊細そうな面差し、三橋の「詐欺だ」という言葉、女子学生たちからの「頑固だ」の評。

英之の記憶に残っているのは小学生の頃の、繊細で可憐《かれん》な遼だった。偏屈親父《へんくつおやじ》みたいに評されるのを聞いて、いったいどんな青年に成長しているのだろうと不安になる。

「お友達ですか？」

先ほどから三橋の隣に立っていた英之が気になっていたのか、ベンチに座っていた女子学生が「山内《やまうち》です」とにこやかに名乗った。三橋がようやく紹介してくれた。

「前の会社で一緒に働いてたやつで水原っていうん

だ。フィルムコンテストの映像見て、笹塚を『綺麗な男だ』なんていうから、ほんとの面《つら》を拝ませにきてやった」

　女子学生たちは顔を見合わせて、含み笑いを浮かべた。

「笹塚さんにそんな興味が？　そりゃ、顔は綺麗かもしれないけど……」

　山内が好奇心に満ちた視線を英之に向けてくる。

「残念。カッコイイのに、そっちのひとですか？」

　そっちってどっちだ？　——あたりさわりのない笑みを返しつつ、英之は「誤解されてる」と三橋の肘をつつく。

「だって、人間を綺麗に撮るから、興味あるっていっただろ？」

「映像にね」

　ふいにカメラの前の青年が鋭い視線を向けてくるのに気づいて、とまどう。英之と目が合うと、青年はすぐに前を向いた。

「あ、きたきた」

　学生たちが「おーい」と英之と三橋の背後に向かって手をあげた。

「笹塚さーん。笹塚さんの悪口で盛り上がってるよー」

　英之は公園の入口を振り返った。手にコンビニの重たそうなビニール袋をもった青年が歩いてくるのが見えた。

　白いシャツにジーンズという、シンプルな服装につつまれたからだは背が高く、ほっそりしていた。長めの髪が西日を浴びて茶色に透け、その表情に遠目にもわかる笑いが浮かぶ。

「悪口ってなんだ？　僕がそこに行くまでに終わらせといてくれ。聞くとへこむから」

「——ほら、早くこい、監督。みんな、喉が渇いたってお待ちかねだぞ」

　三橋が野次を飛ばすと、青年は苦笑しながら「はいはい、ただいま」と足を早める。

　あれが遼——？

英之は記憶のなかにある子どもと印象を重ねようと必死に目を凝らした。

大股に歩きながら、笹塚遼は仲間たちのそばまでやってくると、三橋に悪戯っぽい視線を投げる。

「おお、打ち上げのスポンサーがきた」

「おまえ、いきなりひとを金づる扱いか」

「人聞きの悪い――」

ペットボトルの入ったコンビニの袋を「はい」と女子学生に渡しながら、遼は笑ってもうなにか一言、三橋に軽口をいおうとしたらしかった。その視線が脇にふっとそれて、英之に注がれる。

三橋が「詐欺だ」といっていたことから、映像は良く撮れているが、実際にはごく普通の青年だという意味だと解釈していた。漫画みたいに冴えないボサボサ頭の男が現れることも想像していたのに、遼を間近に目にした途端、英之はフィルムを見たときと同じように息を呑まずにはいられなかった。

モノクロの映像がいきなり天然色に変わったような衝撃があった。細面の整った顔立ちは、映像のままの端整さで華やかに色づけられる。陶器のようにすべらかな肌や、繊細な輪郭は実際に目にしている分、画面のなかよりもさらに浮世離れして見えた。

絵のように綺麗な男には違いなかったが、表情だけが映像とは違った。映像のなかのぼんやりとした顔には体温が感じられなかったが、目の前の遼からは生身の人間の熱が感じられた。わずかに驚いたように見開かれた、薄い色の瞳。

一瞬、英之が知り合いだと気づいて見ているのかと思ったが、遼はなにもいわなかった。無理もない。英之だって、たとえ街中ですれ違ったとしても、いまの遼を見て十二年前の子どもが成長した姿だとはわからないだろう。

不自然なほど見つめあったが、自分がそう感じただけで実際にはそれほどでもなかったのかもしれない。

三橋の声が、ふたりのあいだに落ちた奇妙な静寂に割り込んできた。

「俺の元会社の後輩で、水原っていうんだ。おまえの映像に興味があるっていうから、連れてきた」

遼は少し考え込むように手を口許にやってから、ぼそりと呟く。

「――それはなんて趣味のいい」

「自惚《うぬぼ》れるな、おい」

三橋の突っ込みに、周囲から笑いがわきおこる。英之の名字を聞いても、遼の表情は特別変わらなかった。

やはり覚えてないのか。英之はかすかに落胆しながら「水原です」とあらためて名乗る。

「フィルムコンテストのやつは、最初の場面がよかったね。惹きつけられた」

遼はもう一度英之を凝視したあと、伏し目がちに微笑んだ。

「――笹塚です。ありがとうございます」

かしこまって答える声は中低音で、子どもの頃のように少女めいた響きはなかったが、澄んだ落ち着きがあった。昔は小柄なほうだったのに、いまは英之よりも拳《こぶし》ひとつ分目線が低いだけで、背が高い。

涼やかに目を細めて微笑む遼の姿は、彼の父親によく似ていた。父の友人である笹塚に。

(――綺麗だ。綺麗だね)

子どもの頃の、静かな興奮に彩られた横顔がオーバーラップする。

空のように爽やかな男の笑顔が、精密に作り込まれた映像のように見えた。自然に映るのに、計算されつくした作品のなかに取り込まれていくような錯覚に陥る。

無遠慮に見つめる英之の視線に気づいて、遼がはにかんだように笑った。

その笑顔に目を奪われているうちに、三橋や周囲の学生たちが話している声が一瞬遠くなった。

2

打ち上げの焼肉屋では個室の座敷に通された。食べ盛りの学生たちは、英之《ひでゆき》と三橋《みはし》が財布の中身が心配になるほど軽快に次から次へと皿を空にしていく。

英之は遼《りょう》とは離れた席に座った。遼が一番端の席に陣取ってしまったからだ。撮影現場では自ら飲み物を買いに行ったり、演技の指示をしたり積極的に動いていたが、それ以外の場面では音頭をとるタイプではないらしい。

隣にはいつも一緒につるんでいるという、相沢憲一《あいざわけんいち》が座っていた。奥に引っ込んでいる遼の世話をさりげなく焼いている雰囲気だった。なにを話しているのか、遼は少し疲れた顔で頬杖をつきながら相沢の話に耳を傾け、時折小さな笑いを洩らしている。

先ほど遼のことを「難しいひとなんですよ」といった女子学生の山内《やまうち》に「笹塚《ささづか》くんのこと、みんな苦手なの？」とたずねたところ、「とんでもない」と即座に否定された。

「笹塚さん、一部には人気ありますよー。美形だからね。でも、なんか性格が難しいっていうか、無頓着《むとんちゃく》だけど変なところだけにはこだわるっていうか」

「そう」と英之は頷く。幼い頃を知っているだけに、子どもがクラスの子と仲良くやれているかと心配する親のような心境になっていた。

ちょうど店員が座敷に追加の肉を運んできたので、山内はそれを受け取ると「見ててくださいね」というように英之に目配せをよこし、声を張り上げる。

「笹塚さーん。はい、お肉きましたよー。そっちの分のハラミ」

肉の皿を回されて、遼はけだるそうに「はいはい」と返事をしながら受け取ろうとした。伸ばされた遼の腕から、ふいに山内は皿をさっと引き戻した。

「駄目。やっぱりあげない。今日の撮影でも、笹塚さん、わたしにめちゃくちゃ厳しかったもん」

「え。いつ」

遼ははっとした顔つきになって、記憶を辿るように宙を仰ぐ。

「ためいきついて、『はあ、なんでこんな簡単なことわかんないの。使えねえなあ』っていったじゃないですか。自分の説明の仕方が下手なくせに」

「いつだよ。いってない。おい、記録係」

向かい側の男子学生は「はて」というように首をかしげた。

「『なんでこんな……』まではいってたの聞いたな。あとは笹塚がぶつぶつ口のなかでいったんで知らないけど」

「思ったかもしれないけど、声にだしてはいってないぞ」

「やっぱり心のなかではいってんだー」

周囲が笑うなか、遼は「勘弁してくれよ」と頭を抱え込んだ。ひとしきり笑ったあと、山内は「ね」と英之の腕を引いて声をひそめた。

「ま、こんな感じでみんな仲良しですよ。笹塚さん、女子相手には用件のあるとき以外は話さないんで、コミュニケーションとろうとすると、あんな感じになっちゃいますけど」

ほとんど口をきかなかった当時を思えば、別人のようだった。成長したのだろうが、どこかでぷつりと線が切られているような、昔とまったく印象が一致しないことに違和感を覚える。

「笹塚。コンテストに送ってきたフィルム、あれなんなんだよ。説明しろ。おまえのイメージビデオなんて誰も見たくねえぞ」

斜め向かいに座っている三橋の容赦ない攻撃に、うつむいていた遼は「今日は僕のつるしあげですか」とためいきをつく。

「あれはね……」

遼はいったんいいかけたものの、途中で口をつぐんだ。英之もあのフィルムがどういう経緯《いきさつ》で撮られたのか興味があった。

代わって隣の相沢が説明する。

「さっきの山内と同じパターンなんですよ。このあいだの撮影、先輩の知り合いの劇団の女優さんをひとり紹介してもらって、久々に内輪の役者だけじゃなくて、本格的にやるつもりだったんだけど、その女優さんに演技を指示するときに……」

三橋が「トラぶったのか」とたずねると、「ええ」という歯切れの悪い声が返ってきた。

「でも、あのひと、最初から態度悪かったじゃん」

「だよな。あれはなー」

仕方ないと同意する声のなか、遼が気まずそうに口を開く。

「僕がいったんですよ。あまりにも態度がひどいから、『あなた綺麗かもしれないけど、演技はさほどでもないですよね』って」

「おまっ……失礼だなあ」

「そう。だから、怒って帰っちゃった。コンテストの〆切に合わせるにはもうぎりぎりだったんで、その場でシナリオ書き直して、責任とって自分で出演したんです」

脇から山内が「撮影スケジュールを台無しにした罰ゲームですよね」と楽しそうにいう。遼は「そう」と苦虫を噛み潰したような顔を見せる。

「罰って？」

「笹塚さんは撮影するのは好きだけど、撮影されるのが死ぬほど嫌いなの。映研のほかの子の作品でも、絶対に出てくれないんだから。役者集めるの大変だっていうのに」

「だから僕は代わりにいつもパシリをかってでてるだろ。買出しに行ったり買出しに行ったり」

「そればっかりじゃないですかー」

突っ込まれて、遼は再度ためいきをついた。

「カメラの前に立てるやつは尊敬する」

呟きを聞いて、三橋が「だったら、女優さんにも敬意を払えや」と手厳しい言葉を吐いた。

「そうなんですよね。そのとおりだ。反省した」

「嘘つけ。してねえよ、おまえは」

「してますって。……疑うなあ、三橋さんは」

遼はまいったなと前髪をかきあげながら笑いをこぼした。

やはり随分《ずいぶん》と三橋とは親しいんだなと思いながら見ていると、その視線がいきなり英之に向けられる。突然なので構えるひまもなかった。

「水原《みずはら》さんは――」

決して大きな声ではないのに、遼の声はよく通る。たった一声で、ガヤガヤ騒いでいた周りが水を打ったように静まりかえる響きがあった。

「あの映像の冒頭のシーンがいいっていいましたよね。どこがよかったですか」

知り合いなのに知らない振りをして話すのは居心地が悪かったが、遼が覚えていないのなら、この場で特異な子ども時代を知っているというわけにもいかなかった。

「笹塚くんがよかった。役者さんだとばかり思ったよ」

「へえ……僕ですか」

遼が唸《うな》ると、周囲になんともいえない微妙な空気が広がった。それほど変なことをいったのだろうかと英之は訝《いぶか》る。

気まずい間を山内がフォローしてくれた。

「ねえ、撮影されるのが嫌いだなんて思えませんよね。堂々とした役者ぶりで。笹塚さんて、『できないできない』っていって、テストで百点とるタイプなんだわ」

ようやく座がどっとわいた。遼はおもしろくなさそうに眉をひそめたものの、本気で不快に思っている様子はなく、からかわれるのを楽しんでいるようだった。

笑いがおさまったあと、「今日は最悪だな」とぽつりと呟くのが聞こえた。

「水原さんは、何線ですか？　カラオケ行きます？」

焼肉屋を出たところで、山内に声をかけられた。どうするか迷っていると、脇からよく通る声がとんだ。

「水原さんは僕と一緒」

山内が「え」と遼を振り返る。

「さっき約束したんだ。撮った作品を見せるって」

遼はすまして答える。そんな約束はしていないが、英之は内心とまどいつつも否定しなかった。

「あー、そうなんですか。ふうん」

どこに行こうかと話し合っている三橋たちに、山内が「ねえ、ふたりは抜けるってー」と声を張り上げる。

カラオケに行くというメンバーと別れ、英之と遼は駅の方向に歩きだした。去り際に、遼の友人の相沢が意味ありげにこちらを見ているのが気になって仕方なかった。

今日、彼に何度睨《にら》まれたかわからない。英之が遼に興味を覚えているから、警戒しているようにしか見えなかった。あの友人に特別な感情を抱かれていることを、はたして遼は気づいているのか……。

感情の読みにくい顔を横目に見ながら、しばらく無言のまま歩く。どうして「作品を見せる」などといって抜けだしたのだろう。

「約束――したっけ？」

「焼肉屋ではあまり話ができなかったから。迷惑でした？」

拍子《ひょうし》抜《ぬ》けするほどあっさり答えられて、英之は「いや」と追及する気をなくした。

「……撮影の打ち上げなんだろ？　最後までつきあわなくていいの？」

「うーん。そうですね……今日はもう充分みんなのオモチャになったから、いいんじゃないかな」

遼は苦笑すると、少し疲れたように伸びをしながら英之を振り返った。

「それより、水原さんは自分の心配しなくていいんですか？　僕とふたりで抜けたことで、連中のネタになりますよ」

「なにが」

「よく誘われるんですよ、僕は女性よりも男性に」

山内が「そっちですか」といったのは、あながち冗談ではなかったらしい。

「俺がきみにそういう意味で誘いをかけてるって？」

「みんなの前で、あの映像のこと、『笹塚くんがよかった』っていいきったでしょ。あのときみんな内心、『またか』って思ったはずですよ。大勢ひとがいるのに大胆なひとだなあって、僕もつい赤面しそうになった」

妙な空気にはそういう意味があったのか。ようやく腑《ふ》に落ちたが、からかわれても笑うに笑えなかった。

「前に、監督としてじゃなくて、役者としてやってみないかって、声をかけられたことがあったんです。そのひとがそっちの趣味のひとで。あとはコンテストを主催した映画関係者のひととか、似たようなことがあって」

誘われた経験があるから、執拗《しつよう》に警戒したり嫌悪を抱いているというふうでもなかった。他人事《ひとごと》のように不自然なほどさばさばしている。

「きみは――そうなの？」

「まさか。僕はそういう意味なら、男も女も駄目です」

男が好きです、と告げられるよりも問題発言に聞こえた。

「人間嫌い？」

「――だったら、撮りませんん」

英之は納得する。たしかに人間嫌いが、あれほど人物にこだわって撮るはずがない。あの映像はたまたま本人だったから、三橋には「ナルシスト」と酷評されたが、遼はほかの作品も人物の表情を印象的に撮ることで定評があるらしかった。

遼はふと足を止めて、英之を振り返った。なにかいいたげなのに、なにもいわない。

しゃべっているときと黙っているときでは、遼はだいぶ印象が違う。好きなものにはこだわるが、それ以外には興味がない、凝《こ》り性《しょう》の映像青年。フィルムのなかの美青年ぶりを「詐欺だ」と三橋がいったのはよくわかるが、こうして見つめられると、その顔はやはり文句のつけようがないほど端整で、時折瞳に不安定な揺らぎが走る。引き込まれるのは、端麗な顔立ちよりも、その伏し目がちになる瞳の微妙な表情のせいだった。

「ただ、僕には全部フレームのなかの出来事に見える。その距離感で見るのはいいけど、それより近づくのは苦手です」

繁華街の駅近くの喧騒《けんそう》が遠ざかっていくように感じた。

そのとき初めて、自分の隣で息をひそめるようにしてシーツで作ったスクリーンの映像を眺めていた子どもと、目の前の青年の面差しが重なった。

「水原さん」

遼はいったん開いた口を思い直したように引き結ぶ。そんなしぐさを何度かくりかえしてから唇の端をわずかにあげた。

「僕のことを覚えてませんか」

夜の街の青白い照明は、ふたりきりの上映会でのスクリーンの四角い光を連想させた。隣に座っているだけで、ふれてもいないのに、音もなく静かに伝わってくるものの記憶を呼び覚ます。

「――覚えてる」

途端に、遼は力が抜けたように笑った。

「なんだ。なにもいってくれないから、忘れてるのかと思ってた」

「俺のほうが忘れられてると思ってた。きみはまだ小学生だったろ」

理由があって、遼が自分を知らない振りをしているのではないかと思っていたが、杞憂《きゆう》だったらしい。

「僕は忘れない。忘れるわけがない」

妙に力強い声に圧倒される。

「ルールがあるのかと思ったんです」

「ルール？」

「昔、英之さんのうちにお世話になったときも、英之さんはおじさんやおばさんの前では僕をかまわなかった。二階の部屋に上がったときは、あれこれ話しかけてくれたのに。だから今日も人前じゃ話しかけちゃいけないのかと思ってました」

たしかに高校生が甲斐甲斐《かいがい》しく小学生の子どもをかまっていると思われたくなくて、そんな態度をとっていた。それをルールがあると解釈するのか。

「あれはそういう年頃だったから。それより、きみは自分が口をきかない子どもだったたってことを忘れてないか」

「そうだな。忘れてた」

遼はあっけらかんと認めた。ひとしきり笑ってから、目を伏せる。

「忘れたんです、子どもの頃のことは。でも、英之さんのことは覚えてる」

ほっそりしたからだについていた痣《あざ》が、脳裏をよぎる。

訊いてみたいことがあった。でもふれてはいけないと考えて、十二年前には飲み込んだ疑問の数々。いまは、もっと言葉にできない。

「……元気だった？」

遼は不意打ちを喰らったように「見たとおり頑丈で、元気ですよ」とおかしそうに答えた。


あの一カ月間は、遼にとっても特別だったのだろうか。

父は8ミリの映写機が夜中に持ちだされていることに気づいても、「ふたりで一緒にフィルムを見ているのか」「遼くんはおまえの前では口をきくのか」とはたずねてこなかった。

おそらくは父も英之と同じように感じていたのだろう。遼にはあれこれと詮索《せんさく》するよりも、こわばった心身をのんびりさせる時間と、なにも知らない振りをしてくれる人間が必要だった。

遼が撮影することに興味をもっているようなので、英之は絵コンテの描きかたを教えてやり、短い作品を撮る計画を立てた。漫画のようなタッチだが、彼は絵がうまかった。

「8ミリのカメラは家にある？　いままで撮ったことは？」

うっかりたずねてから、しまったと思った。楽しそうにレポート用紙の絵コンテの枠に鉛筆を走らせていた手が止まったからだ。その表情から急激に生気が失われる。遼は家に最初にやってきたときのように、人形めいた顔つきになって呟く。

「……お父さんがもってたけど、僕はさわらせてもらえなかった」

表情の変化に気づかない振りをして、英之は「そう」とレポート用紙に視線を落とし、「上手だね」と絵コンテを褒《ほ》めた。

「これは人が登場するのか。どんな人物？」

「――英之さんだよ」

「俺？」

驚く英之に、遼は食い下がる。

「……駄目？」

「俺なんか撮っても、つまらないだろ」

「でも撮りたい」

なんで自分なんかを――と首をかしげたものの、それが子どもの精一杯の好意の表現だとすぐに気づいた。

英之は目を細めて微笑む。

「俺の出演料は高いよ？」

「お金？　僕あんまりもってない」

どうしよう、と困った顔を見せられて、英之は小さく噴きだした。

「出世払いでいいよ」

「ほんとに？」

胸をなでおろし、無邪気に喜ぶさまが愛らしかった。

遼が笑顔を見せれば見せるほど、先ほどのように時折垣間見《かいまみ》える不可思議な表情が気になった。感情をいっさいシャットアウトさせたような目の色。どうしてあんな顔をするのだろう。

うかつにふれてはいけない領域に思えて、英之は何度も喉まででかかった言葉を飲み込んだ。

「……英之さん？」

なにもいえない代わりに無意識のうちに手が伸びて、遼の頭をなでていた。子ども特有のさらさらした髪が指にからむ。

どうしてこんなことをしているのか。照れくさい真似をしていると思いつつも、タイミングを逸して手を離せなかった。無言のまま頭をなでつづけていると、遼の顔が真っ赤になった。肩をこわばらせて、緊張しているのが伝わってくる。

スキンシップに慣れていないのか、頭をなでられるのでさえ恐縮したように姿勢を正す姿を見ているうちに、英之の口許《くちもと》に自然に笑いがこぼれた。

「いや——かわいいなと思って」

何気なく口にしたのだが、遼はかわいそうなほどうろたえた。そのとまどいをなんとかやわらげてやりたくて、英之は言葉を継ぐ。

「俺は一人っ子だから、遼みたいな弟がいたら楽しかっただろうな。こうやっていつも一緒に撮影の計画たてたりして」

「……楽しい……」

遼は焦点の定まらない目をしてうつむいた。

「僕は——邪魔じゃない？」

「なんでそんなことというんだよ。おかしなやつ」

「だって、役に立ってないから——」

そのあと口のなかでもごもごといった言葉は聞こえなかった。

「馬鹿だな」

額をこづいてやると、茫然《ぼうぜん》としたように英之を見る。

「役に立たないから、こうやっていろいろ教えてやるのが楽しいいんじゃないか。俺は得意げになって、お兄ちゃん気分が味わえる」

遼は「そ……そうなの？」と英之を見上げる。

「そうだよ。馬鹿だから、かわいいんじゃないか」

さすがに不本意だったらしく、遼は「馬鹿じゃないもん……」と拗ねたように呟いたものの、表情には明るさが戻った。

遼がなぜうちに預けられているのかは知らない。知らなくてもよかったし、遼がふれられたくないと思ってることにはふれなくてもいいと思っていた。ただ、こうして一緒の部屋で過ごしているあいだは、8ミリフィルムのなかで踊っていたような笑顔を見せてほしかった。

ふたりで綿密に計画を立てたものの、結局、撮影は実行されなかった。その前に、遼は英之の家からいなくなってしまったからだ。

ある夜、男が英之の家を訪ねてきて、父と口論になった。遼の父親の笹塚眞一《しんいち》だった。

その翌日、英之が学校に行っているあいだに、遼はいなくなってしまった。父は、ようやく遼の母親と連絡がついたので、引き取ってもらったと説明した。笹塚眞一に居場所を知られてしまったために、急いで対応したのだとわかった。

遼を追い詰めていたのは――。

「ありがとうな。遼くんの面倒みてくれて」

ふたりで上映会を開いていたことをやはり知っていたのか、父は英之に礼をいった。

「……一緒に撮影する計画を立ててたんだ」

「あの子も残念がってたよ。この家にきてから初めて、俺たちの前でまともにしゃべったよ。おまえに直接お別れをいえないから、あわてて手紙を書いたみたいだった。『英之さんにこれを渡してください』って」

渡されたのは、いつも絵コンテを書いていたレポート用紙だった。絵と同じで、年齢にしては達者な文字が綴《つづ》られていた。

英之さんへ

お母さんが迎えにきたので、いなかに行くことになりました。せっかく計画を立てたのに、カメラを回せなくて残念です。

ありがとう。ずっとカメラをさわってみたかった。ぼくがしたいと思っていたことがかなった。最初にフィルムを見せてくれたときから、どうして英之さんは、ぼくが見たかったり、やりたかったことがわかったのだろうと不思議でした。

英之さんのとった空の映像はきれいでした。ありがとう。ぼくもとりたくなりました。

また会えることがあったら、一緒にさつえいをしてください。ほんとにありがとう。

短い文章のなかに、いくつの『ありがとう』が並んでいるのだろうと数えた。たいしたことはしていない。なにもしてやれなかった。結局、一緒に撮影もできなかった。あれほど楽しみにしていたのに。

落ち着いた頃に、英之は父から聞いた田舎の住所に手紙を送ったが、すぐに宛て先不明で戻ってきた。どうやら遼の母親が周囲になにもいわずに引っ越してしまったらしかった。

朝日を感じるまどろみのなかで、英之は自分以外の体温が布団のなかにあることに驚く。

最近、ご無沙汰だったから、相手がいったい誰なのか覚えがない。昨夜は誰と飲んだのか。たしか三橋の後輩の映研の撮影を見に行って遼と再会して、打ち上げで……。

「え——」

ついくせで抱き寄せようとして、いつもとは違う硬い感触に、英之ははっと目を開ける。狭いベッドのなかで、からだを丸めるようにして眠っている遼の顔を至近距離で確認して愕然《がくぜん》とした。

さっと血の気が引いたが、自分も遼もしっかりと服を着ていることに、安堵の息を洩らす。肩を抱いてしまったはずだが、遼は気持ち良さそうに寝息をたてていて、起きる気配はなかった。

英之は遼が目を覚まさないようにそっと起き上がって、ベッドから離れる。なにもしてないのに、やましいことがあったみたいに顔を見るのが気まずかった。

昨夜はカラオケのメンバーと別れてから、遼の部屋を訪れたのだ。撮影した映像をいろいろ見ながら、酒を飲んで話しているうちに眠ってしまった。

遼の部屋は八畳ほどの広さのワンルームだった。家具はパソコンデスクとロータイプのベッドがあるだけだ。窓ぎわに置いてあるベッドの周りに、服やら本やら、普段よく使用していると思われる物が整然と積み上げてある。昨夜見たときから奇妙な光景だと思ったが、明るい日の光の下で見ると、その様子は雑然としているというより、なにか不思議な生き物の巣というか、要塞《ようさい》のようだった。ベッドの周辺以外はがらんとしている。枕元には撮影用のDVカメラが転がっていた。昨夜は気に止めなかったが、これほど粗雑な扱いをしているからには、サークルのものではなく私物なのだろう。

煙草《たばこ》を口にくわえて火をつけながら、英之は再びベッドのそばに戻る。カメラはもうかなり古いモデルだが、プロ仕様に匹敵するといわれた名機だった。大学を卒業して以来、趣味で周囲の風景を撮るくらいで、本格的に撮影したことはなかったが、やはり撮影機材には興味がある。

ベッドのそばに腰を下ろして、DVカメラをしげしげと眺めているうちに、遼が「ん……」と寝返りを打った。

カーテン越しの光を浴びている寝顔は安らかで、その口許には子どもっぽさが残っていた。昨夜は英之のほうが先に眠くなって、ベッドに横たわってしまったのだ。寝床を奪ったのは悪かったが、まさか一緒の布団に入ってくるとは思わなかった。ほっそりとしているが、遼は決して小柄なわけではない。大きな図体をして、自分だって寝苦しいだろうに……。

「――ほんとに、大きくなったな」

思わず呟いて、遼の額にかかっている髪をはらうように撫でてやる。おとなしい寝顔は子どもの頃を思い起こさせて、小学生に対するのと同じような感覚でいた。

また会えることがあったら――と遼はレポート用紙の手紙に書いていたが、まさか再会するとは思ってもいなかった。先日実家に帰ったとき、一緒に書いた絵コンテと手紙を久しぶりに読んだせいか、シーツのスクリーンで上映会をした日々がつい昨日のことのように思える。

ふと、積み上げている本のタイトルに目が止まった。『ユビキタスGUI』『オープンソース言語』などと書いてあるのを見て、へえ、こんな勉強をしてるのかと手を伸ばす。

「……ここは禁煙」

ふいに声がして振り返ると、遼がベッドの上から睨みつけていた。

英之は「悪い」と謝りながら、ビールの空き缶に煙草を押しつけて、一番近くにあった『ユビキタス云々』とタイトルのついている本をめくる。

「専攻はなに？」

「……情報学です。ユビキタスの語源、知ってます？」

遼はおっくうそうにからだを起こしながら前髪をかきあげる。ゆったりした仕草はやけに優雅で、目で追っているうちに返事が遅れた。

「語源？　意味は、遍在する……？」

「――神はあまねく存在する」

静かに呟く遼の表情はなにやら厳《おごそ》かだったが、それは一瞬のことで、すぐに破顔した。

「なかなかロマンチックだと思いませんか。最先端の社会や技術の理想にも、神がいる」

　彼の表情のなかに、ほんのわずかに見え隠れする不安定さを見つけるたび、目を凝らしてしまうのはなぜだろう。成長した目の前の青年に、自分の知っている子どもの記憶を重ねたいからか。

　だが、それは遼にとってはありがたくないことに決まっていた。遼は子どもの頃のことは忘れたといった。昔と印象が違うのは、本人が変わろうと努力した結果だからだ。

「このカメラ、いつもここに置いてるの？」

「地震になったら、いつでも持って逃げられるように」

　遼は微笑みながらDVカメラに腕を伸ばした。なでる指さきにいとしげな想いが込められていた。

「高校のときにバイトして、十五万円で中古で買ったんです。古いモデルだし、いまではもっといいものが出てるけど、こいつには愛着がある」

「いまはビデオだけ？」

「これで、だいぶフィルムに近い映像が撮れるから。8ミリも撮りますよ。8ミリは学校に古い機材が揃ってるし、やっぱり味があるから。16ミリも何度か」

「そう――」

　一緒に8ミリフィルム用の絵コンテを作ったことを思い出したのか、遼は物思いに耽《ふけ》るような顔をした。

「どんな気分ですか？　自分の影響を受けた子どもが成長して、現れるって？」

　意外な問いかけをされて驚く。

「俺の影響なのか」

「そんなにいやな顔しなくても」

　揶揄《やゆ》するような笑いを向けられて、英之は苦笑した。

「いやな顔はしてない。うれしいよ」

　英之と出会う前から、遼は父親の影響で8ミリカメラに興味をもっていたのだろうが、あの上映会がいい方向で現在の姿につながっているなら喜ばしいことだった。

　ずっと気になっていた。手紙を送ったが、届かなかった。中途半端に小さな手を突き放してしまった気がして……。

「会えるとは思ってなかった」

しみじみと呟くと、遼は焦点が合っていないのに、かすかな熱を孕《はら》んだような不思議な視線を向けてきた。その口許に晴れやかな笑みが浮かぶ。父親によく似た、澄んだ空のような――いつ曇るかわからない儚《はかな》さをも感じさせる、奇妙な魅力の笑顔。

「……僕は映像を撮ってるかぎり、どこかでつながってるって思ってた」

「……俺と？」

「そう。会える確率は高いって」

微笑みながら語る遼の顔を見ているうちに、英之は再会してからの違和感をよりいっそう強く感じた。

目の前にいる遼は、昔よりもしゃべるし、表情も豊かだ。それなのに昔ふたりしてなにもしゃべらずにスクリーンを見ていたときのほうが気持ちが通じ合っていたと感じるのはなぜだろう。あのとき、間違いなく英之は遼の唯一の理解者だった。

遼は「さて、と」と伸びをしてから立ち上がり、キッチンに向かった。冷蔵庫を開けて、「なにもないな」と呟く。

「……僕はいつも朝食は適当なんですけど、英之さんはそれじゃ駄目ですよね」

「適当って？」

「……それとか」

指を差されたのは、ベッドの周辺に散らばっている紙袋だった。菓子のラスクが大量に入っている。似たような袋を開けてみたら、全部同じ中身だった。

「甘いもの好きなの？」

「受験のときに朝型にして、毎朝三時に起きて通学時間になるまで勉強してたんです。頭をてっとり早く働かせるためには朝食に甘いものを食べるといいとなにかの記事で読んで、それ以来、朝食のメニューは菓子類なんです」

「もう受験じゃないだろ？」

「習慣になると、変えるのも落ち着かない。いまはラスクの周期です」

買い込まずになくなってから買えばいいのに……と同じ包みを数えながら考える。心の呟きが聞こえたかのごとく、遼は顔をしかめた。

「なくなって焦るのがいやなんで。過剰でもストックしとくんです」

誰かに同じことを指摘されたことがあるらしかった。

「……朝から菓子を食えといわれると、きついかな」

「無理強いはしません」

遼は愉快そうに唇の端を上げると、いきなり目の前で部屋着のTシャツとスウェットを脱ぎだした。男同士だからあたりまえかもしれないが、無造作に下着一枚になる。痩《や》せていたが、ガリガリというほどでもなく、からだには適度な筋肉がついていた。抜けるように白い肌から、英之は思わず目をそらす。

ひどく落ち着かない気持ちになった。しゃべっているときは意識しないが、黙って動いていられると映像のなかと同じく優雅で綺麗な青年には違いないので、見ないようにしようとしても目を惹きつけられてしまう。

あの小さかった遼じゃないかと自分にいいきかせても、無機質めいた美貌には清廉《せいれん》なのに妙な色香があった。なぜそれほど色が白いのかと考えれば、撮影以外では太陽の光を浴びることのないインドア派なのだという色気のない答えが浮かんでくるのだが。

遼はこちらの視線など気にしたふうもなく、ベッドの脇に転がっていたGパンに足を通して、シャツを羽織《はお》った。なめらかな白い肌には昔のような痣はなかった。

「コンビニに行って、朝食を買ってきます。おにぎりとパン、どっちがいいですか」

「……おにぎりかな」

「了解」

玄関で靴《くつ》に足を突っ込んでから、遼は再び振り返った。

「僕がいないあいだに、帰らないでくださいね」

「……帰らないよ」

「なら、いいです」

じっと見つめ返されて、妙な間があいた。英之はごくりと息を呑んだ。変に緊張する。

「なに？」

「――いてくださいね」

確認するように投げかけられる視線に、胸の鼓動がひそかに速まった。

まるでそれを見越したように、遼はゆっくりと微笑んだ。英之は胸のざわつきを鎮《しず》めようとして煙草を吸おうと箱をとりだしたが、「禁煙です」といわれたことを思い出して手を止めた。

「ラスクの周期です」などと変なことを語ってくれているあいだはいいのだが、こうして黙られたり、妙な間をとられると、やはり目のやり場に困る。

「――行ってきます」


英之は「ああ」と手を振った。ドアが閉まってから、ふうと息を吐いて、髪の毛をかきあげる。

いくら綺麗な青年でも、男相手にもやもやとした気持ちを抱いたのは初めてだった。

あの小さかった遼なのに……。彼が「女性よりも男性によく誘われるんです」と話したことに毒されているとしか思えなかった。

英之は自分の手をじっと見つめる。目覚めたときに、遼の肩を抱き寄せたときの体温が甦ってきた。一緒の布団にくるまっていたぬくもり。

(どこかでつながってると思ってた)

手のひらに残っているのは、自分と同じ硬い男のからだの感触のはずだった。子どもの頃のようなやわらかさはない。それなのに心の底をくすぐられるような心地よさがあった。

まどろみのなかで鼻をかすめたのは、遼の整髪料かシャンプーのにおい――ひんやりとしたミントみたいで、甘かった。

3

試写会のはしごをして、最後の映画が終わったのは午後五時過ぎだった。

試写は映画配給会社の試写室で行われる。ちょっとしたミニシアターのようなところもあるが、たいていは当然のことながら映画館よりも設備が悪い。三十人から五十人前後の座席をもつところがほとんどだ。

試写室を出たあと、気合の入ったプレスをめくりながら、軽いメモをとっていると、顔見知りの宣伝部員に「どうでしたか」と声をかけられた。ヨーロッパの注目監督の作品だったが、テーマが恋愛がらみとはいえ少し重すぎた。これは宣伝会社の宣伝次第で「重い映画」とも「洒落《しゃれ》た映画」とも印象操作できるだろうな、というのが感想だった。映像美だけでとらえれば、ヨーロッパテイストの、女性が好みそうな映画だ。

「凝《こ》った内容ですよね。海辺の風景が暗いんだけど、シックな青の色彩で、印象的で」

「情感を伝える映像でしょう。主演の男優さんも注目株なんですよ」

映画会社の宣伝部員にとっては、実は購読者が限られている映画専門誌よりも、一般の女性誌などに紹介記事を書いてもらったほうが効率がいいから、その媒体を専門にしているライターは大事にしてもらえる。英之《ひでゆき》は女性誌や情報誌を仕事先にいくつかもっているから、宣伝部にしてみればありがたい存在のはずだった。

いまは秋だが、すでに試写される映画は来年のゴールデンウイークを狙ったものが多かった。もちろんこれは決まったものではなくて、ある監督のものなどはいつも試写が突然で、二カ月後にはロードショーを予定しているという日程で緊急の試写会の知らせがくることもある。

とりあえずファーストインパクトが薄れないうちに、メモをとって整理しておく。ロビーでそうやって三十分もすごしていると、携帯が鳴った。

一瞬びくりとしたが、期待した相手ではなく、三橋《みはし》からだった。どこにいるんだ、と問われて場所を告げると、「俺もそこにいるから」という答えが返ってきた。仕事できていたらしく、ほどなくしてエレベーターで下りてきた三橋が現れる。

「ひょっとしたら、今日きてるんじゃないかと思ってよ。勘が当たったな」

「打ち合わせですか？　偶然ですね」

最近は大手の映画配給会社でも宣伝部が直接宣伝活動の現場には出てこずに、三橋が所属しているような宣伝会社が紙媒体からウェブまでトータルで宣伝を請け負うことが多い。そうなった場合は、当然のことながら試写会の招待状も宣伝会社から送られてくる。

「なあ、メシ行かないか。このあいだ行ったところが、なかなか美味くてさ。この近くなんだ」

「……いいけど」

ちらりとテーブルの上にある携帯電話を見てしまったことに気づかれたらしい。

「なんだよ。連絡待ちか？」

「いや」

連絡がこないことはわかっている。いつも彼は連絡などしてこないのだから。

「仕事……って感じじゃないよな。なんだよ、彼女か？　えらくご無沙汰だよな。沙世《さよ》ちゃん以来？」

「違いますよ。そんなんじゃない」

テーブルの上の荷物をまとめると、英之はためいきをつきながら立ち上がった。

「そういえば、笹塚遼《ささづかりょう》って――」

エントランスホールを抜けて、ビルの外に出たとき、三橋が何気なく口にしたので心のなかを見透かされたのかと思った。

「おまえの昔からの知り合いなんだってな。この前、メールもらってびっくりしたわ」

「子どもの頃に、ちょっと」

　まさか遼が三橋に話をするとは思わなかった。べつに隠すことでもないのだが。

「あいつ、喜んでたよ。三橋さんが連れてきてくれたって。なんだよ、いいお兄ちゃんだったんだって？　昔、やさしくしてもらったって」

「――一カ月だけだけど」

「あん？」

　首をかしげる三橋に、英之はためいきをつく。

「一カ月だけなんですよ。ほかに俺は彼のことをなにも知らない」


　再会してから、遼はたびたび英之のマンションを訪ねてくるようになった。

　最初に遼の部屋に泊まった日、帰りぎわに連絡先を教えてほしいといわれて、名刺を渡した。「遊びに行ってもいいですか」と聞かれたときには、深く考えずに「いいよ」と答えた。

　その翌日の夜には「近くまできたから」と訪ねてきた。それからも週に二、三度。さすがに多くないか、と思っていると、こちらの心情を読んだように訪問の日にちを開けたりする。

　おかげで、一週間訪ねてこないと、英之のほうが「どうしたんだろう」と気になるようになってしまった。電話してみようかと考えているうちに、遼は「こんばんは」と何事もなかったように現れる。事前に電話やメールで連絡してこないところは雑な性格ともいえるが、実際は微妙な空気をよく読んでいるのではないかと思わせた。

　なにか特別な用事があって、訪ねてくるわけでもない。自分の撮った映像を見せにきたり、ＤＶＤを一緒に見たり、他愛もない話をしながらのんびりと過ごすだけ。

　いくら子どもの頃の経緯《いきさつ》があるとはいえ、これほど急速になつかれる理由がわからなかったが、拒む理由も見つからなかった。もともと同じく映画が好きなもの同士だ。話が合わないわけがない。一緒に過ごす時間はずっと何年もそうやっていたと錯覚してしまうほど心地よかった。

一度、「よく俺のところにくるね」と訊いたところ、遼は「迷惑ですか」と聞き返してきた。

「いや、そういう意味じゃないけど」

英之が否定すると、遼は伏し目がちに微笑んだ。

「昔、もっと仲良くなりたかったから」

「子どもの頃のこと？」

「英之さんのところを出て行かなきゃいけなくなったとき、僕はすごくショックだった。あのまま英之さんのうちにいられたらよかったのにって考えた。そんなこと不可能なのに」

父親との関係はどうなっていたのか——とはあえて聞かなかった。笹塚はもう亡くなっているのだ。

「子どもの頃の僕がいうんです。英之さんともっと仲良くしたかったって。だから、いまはその夢を叶えてる」

他人事《ひとごと》のように自分の子ども時代を語る口調が妙だと感じたが、それほど気には止めなかった。理屈っぽい人間は、自分さえ客観視しているようなしゃべりかたをすることがままあるから、単なるクセのようなものだと思った。遼がカメラのフレームを通してしか、ひとには近づけないと最初にいっていたことを忘れたわけではなかったけれども。

遼がなついて家に遊びにくるのはかまわなかった。それが頻繁であっても、気が合うのだから、弟か後輩と思って接すればいいだけで苦痛ではない。英之がとまどいを覚えたのは、その距離感だった。

遼は英之の部屋に何度か泊まったが、客用の布団を床に敷いているにもかかわらず、気がつくと英之のベッドのなかに潜り込んでいるのだ。再会した夜もそうだったが、最初は寝ぼけているせいだと思って、あえて注意することもなかった。

だが、その後もずっと同じことが続いた。気がつくと、遼は窮屈《きゅうくつ》そうにからだを丸めて、英之の隣に寝ているのだ。どう理解していいのかわからないまま、英之は途方に暮れて、朝日を浴びた遼の子どものような寝顔を眺めた。

次はこんなことはもうないだろう、と何度かはやりすごした。もしもそれがひどく不快だったら、英之も最初の日に「ベッドに入ってくるな」といえただろう。文句をいわなかったのは、とくにそう感じてはいないからだった。起きているときには、遼はその整った容貌ゆえにどこか気難しく見えるのだが、寝ているときは無防備に見えた。小さな子どもの頃の面影がオーバーラップすれば、ベッドから追いだせるはずもない。

「ああ……ごめんなさい。寝ぼけてた」

朝になると、遼は一緒のベッドに寝ていた理由をそういいわけした。「いいよ」と応《こた》えるものの、成人の男性が狭いベッドにわざわざふたりで寝ているのは異常な構図といわざるをえなかった。

なによりも英之が落ち着かないのは、一緒の布団にくるまる遼の体温をさして不快には思っていないことだった。

隣で気持ち良さそうに眠っている顔を凝視しているうちに、心の底でざわつくものがある。最初は幼い頃を思い出すような、なつかしさだった。次には、再会するまでにいったいどんなふうに成長してきたのだろうという、空白の過去に対する興味。そして、最後にわきだしてくるのは、いま、目の前にいる青年に対する、曖昧《あいまい》で説明しがたい感情だった。

子どもの頃に頭をなでてやったのとは違う興味で、ふれたいと手を伸ばしてしまいそうになるのだ。それはひどくやましいことのように思えた。

どうかしている。

なにかの間違いで抱きしめてしまうのではないかと、ひとりで馬鹿みたいに悩む日々が続いた。そして――。

「ベッドがいいなら、譲ろうか?」

ついに先日、遼が部屋に泊まることになったときに、英之は自分から申しでた。

「いつも寝ぼけて、朝には俺の隣に寝てるだろ。きっとベッドのほうが寝心地がいいんじゃないか。俺は布団でかまわないから」

遼は固まったような表情を見せたあと、目をそらして、抑揚のない声で呟く。

「家主が床に寝るって変じゃないですか？　僕は床の布団でかまわない」

いくら遠慮しなくていいからといっても頑《かたく》なに拒まれ、それ以上はベッドで寝ろとも強制できなかった。

その夜は、遼もおとなしく床の布団で眠るかのように思えた。

だが真夜中、床の布団で寝ている遼が起き上がる気配に気づく。トイレにでも行くのかと思っていたら、英之が寝ているベッドのそばまでやってきた。薄目を開けると、遼は夢遊病者のように英之を見下ろしていた。

さすがに「どうした」と声をかけようとしたところ、遼が崩れるようにその場に膝をついた。ベッドの端に遠慮がちに頭を載せて、おずおずとシーツの上に腕を伸ばす。英之にふれるかふれないかのところで手をぴたりと止め、ほっとしたように目を閉じる。

英之はしばらく声をかけることもできないまま、その様子を眺めていた。ようやく安心できる寝場所を確保できたとばかりに、遼はそのまま眠ってしまったかのように動かない。

「――遼」

迷ったすえに呼びかけて、英之は布団の端をめくった。遼は寝ぼけた顔でゆっくりと頭を起こして、英之を見る。布団のなかに入れ、というふうに手で促すと、素直にベッドにあがってきた。

一瞬、抱きつかれるのではないかと思ったが、そんなことはなかった。遼は布団のなかに入ってきても、ベッドの端を間借りするような体勢で身を丸めているだけだった。決してそれ以上は英之に近づいてこない。気を許し切っていない猫のようだった。居心地はひどく悪そうなのに、目を閉じた顔は安らかだった。

　英之もそれ以上声をかけなかったが、遼もそんな不自然な行動をとりながら無言のままだった。こんなふうにふたりで布団にくるまっていたら眠れないのではないかと思ったが、やがて英之は自身でも驚くほどあっけなく深い眠りに落ちた。

　ふれそうでふれない距離が、不自然に思えたからだろうか。夢のなかで、ほっそりとした硬いからだをとうとう抱きしめてしまった気がした。刹那《せつな》、焼けつくように熱いものがからだを走り抜ける。実際に抱きしめたのかもしれない。そう思うほど、その感触はリアルだった。

　腕のなかの湿った熱は、やがて眠りのなかで音もなく夜に吸い込まれるように、消えていく。

　翌朝、目覚めると、遼の姿は消えていた。英之の腕のなかには生々しい燻《くすぶ》りだけが残った。感情を掻き乱されたことはわかるが、それが意味するところが明確ではない。

　彼が寝ていた場所のシーツに手を這わせてみる。そこにはなんの形跡もありはしないのに、心にはくっきりとした跡がついていた。

　それから一週間、遼からの音沙汰がない。


　その日も試写会に行ってから、パンフレットの制作を請け負っている宣伝会社との打ち合わせに臨《のぞ》んだ。

　紹介してもらった仕事なので、担当者は三橋の後輩だった。雑談で、つい先日、三橋の母校の映研の撮影現場に行ったことを話す。彼自身もOB会に入っているらしく、いまもつきあいはあるようだった。

「三橋さんほど熱心じゃないから、定期的な飲み会に参加するだけですけどね。彼は学生と話をするの、好きですよね。いまはひとり、面白い子がいるでしょ。笹塚くんだっけ」

まさかこの場で逵の名前を聞くとは思わなかった。しかし、著名なフィルムコンテストで賞をとったことがあるらしく、学生自主映画の世界ではそこそこ名前が知られている存在だとは、三橋のところに送られた映像を見たあとに調べて知っていた。

「新人監督を発掘することで定評のあるプロデューサーに声かけられたみたいだったけどね。その後、どうしてるのか聞かないなあ。彼は美しい風景を撮るみたいに、人物を撮るんだよね。綺麗なんだけど、なんていうか、泥臭《どろくさ》さとか、体温がいっさい感じられないふうの」

「そうですね。でも、画面は光をうまく使って、やわらかいけど」

「そうそう。無機質なのに、硬質ではないんだよね。そこが面白いけど。脚本はとりたてて個性的でもないんだけど、映像での人間の捉《とら》え方《かた》が面白い」

声をかけられたプロデューサーとは、性的な関係を誘われた相手だろうか。縁がまったく切れている様子に安堵した。

逵自身に告げられたときには本人があまりにもさばさばした態度だったから、男によく声をかけられるといわれてもそれほど気にしていなかったが、いまはなぜだか腹の底が針で刺されたみたいに痛んだ。

逵をそういう対象として考える男もいるのだ。道端で思わぬ泥を踏みつけて、眉をひそめる感覚と似ていた。そして、その泥が自分の内側にまで跳ねていることに困惑する。

担当者と食事をかねて軽く飲んで、マンションの部屋に辿り着いたのは十一時を過ぎていた。部屋の灯《あ》かりをつけて、上着を脱いでから水を飲んでぼんやりとしていたところにインターホンが鳴った。

誰だ、こんな時間に——と思いながら不機嫌な声で応答すると、訪ねてきたのは逵だった。黙って帰られた朝以来だ。エントランスのロックを開けてから、いったいどんな顔をしたらいいのかと考えたが、なにもいい案が浮かばずいつもどおりに出迎えた。

「遅くにすいません。いいですか」

遼も何事もなかったような顔で部屋に入ってきた。先日はなにもいわずに帰ってごめんなさい、の一言もない。わずかに込み上げてきた苛立ちを打ち消すために、英之は煙草に火をつけた。

「どうした？　こんな遅くになってから」

「――灯かりが見えたから」

遼は悪びれた様子もなく窓ぎわに近寄ると、マンションに面している道路の向こう側にあるファミリーレストランを指差す。

「もっと早くに訪ねてきたんだけど、英之さんが留守だったから、あそこで夕食をとったんです。その後、しばらく課題のレポートをやってた。いつのまにか時間がたって、気がつくと部屋の灯かりがついてたから」

夕食をとってから？　その後、何時間ファミレスにいた？　マンションが見える席に陣取って？

それでも英之を「待っていた」とは決していわない。いつもと変わらない顔で、偶然帰ってきたことに気づいたといって、部屋を訪ねてくる。

それが遼のなかでどういう意味合いをもっているのかわからなかったが、少なくとも英之はそれ以上追及する気をなくした。

「……コーヒー淹《い》れようか。このあいだもらったクッキーがある。遼は甘いものが燃料なんだろ？　俺は甘いものが駄目だから、片付けてくれ」

「じゃあ、僕が用意します」

キッチンでケトルを火にかける遼の後ろ姿を見ながら、落胆する気持ちが否めなかった。このあいだの朝、なにもいわずに帰ったこともこんなふうにするりとかわされるのだろう。核心にはふれぬまま急用ができたから帰ったと何食わぬ顔で告げられることは目に見えていた。

あまりにも遼の態度がいつもと同じなので、先日のことは夢でも見たのかと思えてきた。遼がベッドの脇に突っ立っていたことも、その後自分が布団のなかに招き入れたことも。

テーブルにコーヒーが注がれたマグカップが置かれた。ふくいくとした香りをかいだら、心が少し和《やわ》らいだ。

ソファの隣に座る遼も、明らかにほっとしている様子が見てとれた。たぶん彼なりにこのあいだの失態をどうやってごまかそうかと思っていたに違いないのだ。なにもなかった振り――というのが正しい選択とは思えないけれど。

「……今日、仕事先できみの名前を聞いた。三橋さんの友人で、やっぱり宣伝会社に勤めてるひとから」

「なんていってました?」

遼はさほど興味もなさそうにたずねる。それが本音なのか、そういうスタンスなのか、彼は自分の撮る映像についての評価に関心がなかった。

「面白いって褒《ほ》めてたよ。綺麗に人物を撮るけど、体温が感じられないところが変わってるって」

無表情だった顔が崩れた。遼はおかしそうに小さく噴きだす。

「褒めてない」

「褒めてるだろ。ある意味、俯瞰《ふかん》してる視点だからさ。もうちょっと自意識が感じられてもいいのに」

「自意識は、体温ですか」

「創作物については、そうじゃないか。冷たくても熱くてもいいんだけど」

どこか無機質ともいえるのに硬質な印象がないのは、冷たい温度さえも感じられないからだった。

「僕は自意識がないわけじゃないですよ。むしろありすぎるから、出さないだけです。サークルの連中がきっと悪口いってたと思うけど、こだわりはすごくある」

「そうなんだってね。変なところにばかり、こだわってるって?」

あっさりと肯定されるのも納得いかないらしく、遼は幾分不本意そうに「まあ、そうです」と頷いた。

凝り性であろうことは知っている。しかし、どの方向にこだわっているのかがわからなかった。なんの温度も感じられない、やわらかい光につつまれた映像。父親譲りの爽やかで、つかみどころのない笑顔。

「ほかのひとが熱いんだ、もしくはクールだって声を張り上げる気持ちもわかるけど、僕はそういった大声を出さない方向に惹かれるだけです。プラスでもマイナスでもない、ゼロ」

「――なにもない？」

「そう。雑念が多すぎるから、そういう境地に至ってみたい。よけいな声がなにも聞こえてこないときに、自分がなにを感じるのかを知りたい。以前に一度だけ、そういう気持ちになったことがある。そのとき見えてきたものが、たぶん僕の撮りたいものだから」

なにも雑念がない境地に至ったことがあるのか。それはどんなときだったのか――訊ねてみたかったが、英之が口を開く前に、遼はそれを遮《さえぎ》るように言葉を継いだ。

「僕の撮るものに、自意識が感じられないなんていうけど、そんなことない。僕は自意識の塊《かたまり》ですよ。映像でもなんでも、作品つくるやつに自意識がないわけがない。ただ、僕は格好つけて、それをコントロールしたいと思ってるだけ」

ある意味、飾らない本音をいっているように聞こえるが、正直すぎるのが気になった。用意された模範解答を読み上げられているようにも感じる。

「コントロールして、うまくいってる？」

「いまのところは……？」

質問の意図を読みとれないらしく、遼は警戒する顔を見せた。

「俺も学生の頃に、それとは少し違うんだけど、いろいろ考えてたことがあるよ。その頃、ドキュメンタリーの映像作家になりたくてね。ひとより自分がどのくらい優れた視点、もしくは個性的なものの見方ができるのか、そればかり考えてた。でも、俺が実際に撮りたいのは、そんなふうにひとより少しでも抜きん出てやろうって色がにじみでた映像じゃないはずなんだ。

その矛盾について、あれこれ考えた。そんなときに一冊の本を読んだんだ」

「なんの？」

「若い人類学者が、タイの僧院で出家して修行する話」

遼はわずかにおかしそうに唇をゆがめた。

「それを読んで、自分も無我の境地に達したっていうんじゃないですよね？」

「近い」

あっけにとられた遼の表情を見て、英之も笑いを洩らさずにはいられなかった。

「いや、ほんとうに感動したんだ。読みながら、自分まで著者と一緒になって出家して、心が洗われたような気分になった。でも、無我の境地には達してなくて、これはいい題材だと思って、タイでのひとと仏教の関わりについての映像を撮ろうと思って、カメラをかついで飛行機に乗った」

「——撮ったんですか？」

「撮ったけど、作品にはしなかった。する気にならなかった。最初に感動したところと、違うところが色濃く出てしまいそうだったから。それは自分が抱えてる矛盾そのものだと思ったら、二度とそのフィルムは見る気がしなくてね。その本もお守りみたいに大切にとってあるけど、読み返したことはないな」

その矛盾を乗り越えてまで伝えたいものがなかったのかもしれない。以来、趣味でほんとうに自分の興味あるもの以外は撮影していない。仕事にするなら、自分は客観的な視点に立ったほうが向いていると思ったからだ。

「——英之さんは、欲がないんですね」

「ありすぎて、自滅したんだろ」

遼は「なるほど」とおかしそうに笑った。そうやって声をたてて笑うときの表情は子どもの頃と変わっていなかった。自分が映像を見せてやるたびに、好奇心に輝いた瞳を思い出す。

「——前に、『男も女も駄目です』っていったね。それは恋愛もコントロールしてるってこと？」
　話の流れで何気なくたずねたつもりだったが、遼は
はっとしたように瞬《まばた》きをくりかえした。いきなり恋愛
がらみの話をされるとは思ってなかったのだろう。
「そんな話、しましたっけ」
「しただろ。男によく声をかけられるっていったあ
と」
「ああ……いったかもしれない。それはわかるでしょ？ ひとつの物事
ないんですよ。それはわかるでしょ？　ひとつの物事
に没頭すると、それしか目に入らなくなって、相対的
に物事を考えられなくなるんです。映研の女子にだっ
て、嫌われてる」
「嫌われてはないよ」
「でも、男としては『対象外』だって思われてます
よ。親しい女子ほど、そうです。女性のほうが鋭い
し、賢いから」
　ぼんやりしているのかと思えば、案外ひとのことを
よく見ている。たしかにいうとおりかもしれない。近
くに見えるからと手を伸ばしてみても、なにもつかめ
ず、すり抜けるような存在感。それに惹かれる女性は
少ないだろう。だけど、自分は……。
「ひとを好きになったことは？」
「尋問ですか？　今夜の英之さんは変なことを聞きま
すね」
　遼はいささかまいったというように苦笑した。
「なれたらいいな、とは思うけど――それは映像とし
て撮る。僕は自分勝手なところがあるから、相手が気
の毒だ」
　以前なら「そうか」と聞き流すこともできたのに、
いまはひどく心に引っかかった。
　誰も好きにならないということか。じゃあ、どうし
てひとのベッドに入ってくる？
「英之さんは？　つきあってるひとはいるんですか？
好きなひとは？」
　返事に躊躇《ちゅうちょ》する。彼女は一年近くいなかった。大
学の頃からずっとつきあっていた相手とは、母が亡く

なる少し前に駄目になった。当時、映画配給会社を辞めて、フリーライターになったばかりで、いろいろ忙しくて距離ができたのだ。そのあいだに彼女がほかの男と親しくなったと知って、別れてしまった。相談にのってもらっただけだといいわけされても、聞く耳をもたなかった。いま考えれば、自分がほったらかしにしていたくせに、理解がなかったと思う。

しばらくして、母があっけなく脳卒中で逝ってしまい、親孝行するひまもないままに茫然とするしかないような別れ方をした。子どもの頃は「お父さん子だ」といわれていたのに、成長してからは父親と対立することが多く、母を介してしかコミュニケーションをとってこなかったため、父とふたりで残されても、当時は気詰まりなだけでかなしみを共有することもできなかった。

ただ活動的だった父が一気に老け込《ふこ》む姿を見て、母が生前、浮気で苦労させられたことを許すと笑っていた意味がおぼろげにわかった。

ふと彼女に会いたいと思った。だが、もう手遅れだった。長年つきあっていた相手に振られた彼女は、傷心のところを慰めてくれた男と、翌年には異例の速さで結婚する予定だと知人づてに聞かされていたからだ。

「いないけど……大切にする相手は欲しいよ」

予想外の答えだったのか、遼は驚いたような顔を見せたあと、微笑んだ。

「英之さんはやさしいひとなんですね」

邪気のない表情を向けられて、面食らう。それほどやさしい人間ではないから、今度は努力したいと思っているだけだからだ。

「皮肉？　彼女がいないって、いまいったばかりだろ」

「周りに見る目がないんですよ。もしくは、それまでつきあってたひとが忘れられなくて、あなたがひとを寄せ付けないようにしてるか」

胸になにかが突き刺さった。事情を知らないくせに、心を見抜かれたように感じたからか、それとも……。

「——もう遅いから、帰ります」

クッキーもらっていいですか、とほとんど手をつけなかった缶を示されたので、「いいよ」と紙袋に入れてやった。

玄関まで見送りに出ながら、先ほど胸を貫いた疼《うず》きが止まらなかった。自分は恋愛はしないといっているにもかかわらず、ひとの心を掻き乱すような遼の言動が腹立たしいのか。まったくどうかしてる。この苛立ちは振り向いてほしい相手に覚えるものだ。

「じゃあ」と背を向ける姿に問いかけた。

「泊まっていかないの？　いつもだったら、この時間は泊まるっていうだろ」

泊まっていくわけがない。このあいだのことにふれられたら困るのだから。遼は英之が見て見ぬ振りをしてくれることを知っている。いやなところにはさわらない。子どもの頃、一緒に暮らしたときはそうやって過ごした。

遼は落ち着き払った様子で振り返った。

「明日、朝イチで講義とってるんです。その準備があるから」

「そうか」

いったんは納得したふうに引き下がったものの、何食わぬ顔をして靴を履《は》こうとしている遼の手元がわずかに震えているのに気づいた。

「——怖い？」

「……なにがですか」

振り返った遼は、どこか挑発的な目をしていた。その表情を見た途端、抑えきれない衝動が突き上げてきた。

英之は遼の腕をつかんで、引き寄せた。困惑しきった顔を見せるのにもかまわず、唇を寄せる。見開かれた遼の瞳は、救いを求めるように揺れていた。どうしてこんなことをされるのかわからない、と訴えているようでもあった。

英之にもわからない。だから、ふれてみたかった。

キスをしてもからだは硬くこわばったままで、腕からなんとか逃れようともがいていた。強引に背中に腕を回して抱き寄せ、さらに深く唇を重ねる。やわらかい舌を味わっているうちに、その感覚に夢中になった。心もからだも、もうそれだけしか考えられないように昂《たかぶ》って、貪《むさぼ》りつくしたい欲求がわいてくる。

「——っ……」

唇を離した途端、遼は苦しげに息を吐いた。英之を睨みつけると、その胸を突き飛ばす。もう一度腕をつかもうとした手を振り払い、ドアのロックをはずして、外に出る。

勢いよく走り去っていく背中を見つめながら、英之はその場に立ちつくした。遼が落とした紙袋から転がりでたクッキーの缶のふたがはずれて、中身が飛びだしていた。そこらじゅうに散らばるクッキーを拾い集めながら、菓子の甘いにおいに顔をしかめる。

見事に逃げられた。どうしてあんなことをしたのか。先ほどの行為を頭のなかで反芻《はんすう》する。自分と同じ男のからだを抱きしめた感触はやはりやわらかくなかった。おまけに抵抗されたし、腕をつかんでおくだけで相当の力が要《い》った。

それなのに、唇を通して感じた熱は、醒めるどころか、時間がたつにつれて温度を上げていく。こんな想いはやっかいだから、いっそのこと消えてくれればいいと願うほどに。

大人げないことをしたと思ったが、後悔はしていなかった。

4

試写会に立て続けに通ったあとは、部屋にこもって執筆作業にあてる。新作映画の紹介の雑誌の仕事が校了して、やれやれと思っていたところに意外な人物から電話がかかってきた。

『突然、すいません。笹塚《ささづか》から連絡先を聞きました。お話があるんですけど、会ってもらえますか』

相沢憲一《あいざわけんいち》と名乗られて、誰だか思い出すのに少しばかり時間を要した。男らしい精悍《せいかん》な横顔を思い出す。映研でいつも遼《りょう》と組んでいる相方だ。

なんの用かわからなかったが、遼が絡んでいるに決まっているので、「いいよ」と了承した。

友達が乗りだしてくるのか……。さて、なにがあったと首をひねったが、警戒するよりも好奇心のほうが勝った。

指定したカフェに、相沢憲一は約束よりも早くきていた。フリーランスの性《さが》で、英之《ひでゆき》もいつも十五分前には約束の場所につくようにしている。

「待たせたね」と席に着くと、相沢は「いえ」と厳しい顔つきで応《こた》えた。怒っているわけではなく、緊張しているようだった。英之はコーヒーを注文してから、「話って?」と煙草《たばこ》に火をつけながら促す。

「……笹塚に、なにをしたんです」

キスをしただけだ、ほかのことをする前に逃げられた——とはもちろん答えられるわけがない。

「遼はきみになんていった?」

「なにもいわないけど……。やっぱりなにかしたんですね。あなたが現れてから、ずっと様子がおかしいとは思ってたんだ。このあいだからもっと変になって……」

憤《いきどお》られても、なんのことだかわからなかったが、様子がおかしいといわれて、遼のことが心配になった。

あの夜以来、再び連絡が途絶えている。

「おかしいって？」

「部屋にこもったきり、出てこない。『誰の顔も見たくない』って……そんなことというやつじゃないのに。ひとりきりで過ごしてるなんて」

意外だった。どちらかというとマイペースで、群れるよりもひとりでいることを好むタイプに見えたからだ。

「――彼は神経質なところがあるんじゃないの？」

「そうだけど、ひとと一緒にいるのが苦手でも、つきあいの場には必ず顔をだすやつなんですよ。映画はひとりじゃ撮れないってことを知ってるから。おそらくそうなんだろうけど、ひとりのほうが気楽だとは絶対にいわないんです。……そうやって努力してるのに」

立派な理解者が身近にいたものだった。学生時代の友人が貴重だと思うのはこういうところだ。社会に出れば、ひとは相手の意思表示しない部分を読みとる努力をそうそうしてくれない。

「――きみは、遼が好きなの？」

「友人として心配しているだけです。俺には彼女がいます」

相沢は迷ったふうもなくいいきった。そうか、と拍子《ひょう》抜《し》けする。最初に顔を合わせたときから、遼に興味を持っている英之に敵意を抱いているような視線を向けてきたから、てっきり別の感情があるとばかり思っていた。

「笹塚には……そういうのは無理なんです。それは大学に入ってからのつきあいで、よく知ってるから」

相沢はすでに遼から「恋愛は苦手だ」と聞かされているのかもしれなかった。もしかしたら最初は友人以上の気持ちを抱いたこともあったかもしれない。だけど、いまは親友の立場で満足しているということか。

ひょっとして、遼が英之に再会した最初の日に「男も女も駄目です」といったのは、やんわりと牽制《けんせい》されていたのかと思い当たる。そういう意味で英之から誘いをかけられる可能性を警戒していたのか。あのときから壁を作られていたのかと考えると、おもしろくないものがあった。

コーヒーが運ばれてきたので、英之は苦い気持ちになりながら口をつけた。

「遼の子どもの頃を知ってるんだ。……かわいかったよ」

「聞きました。一時期、預けられてた家で、仲良く遊んでくれたお兄さんだって」

遼の頭のなかではいまでもその感覚なのだろう。だからベッドのなかにも平気で入ってくるし、それがおかしなことだという自覚もない。成長したのは見てくれだけ。立派な青年になって、昔とはまったく印象が違うと思いきや、実際は変わってなかった。男も女も駄目だと告げてあるのに、信用していたお兄さんにキスされれば、びっくりして逃げだすのも当然か。

「きみが俺に話があるっていったのは、遼に頼まれたから？」

「まさか。そんなことというわけがない。あいつは……自分のことをひとに頼みません。俺がおせっかいやいてるだけ」

「――いい友達だね」

皮肉るつもりではなく、本心からだった。それがわかったのか、最初は睨《にら》みつけてきた相沢も、居心地が悪そうに視線を落とす。

「きみみたいな友達がいて、遼も自分なりに努力しているみたいでよかった。……再会するまで、いろいろと心配してたんだ。だからついかまってしまうんだけど」

「子どもの頃に、なにかあったんですか？」

相沢は遠慮がちにたずねてくる。親しくしていても、過去のことは知らないらしかった。

「どうして？」

「あいつは家の話をしたことがないから。正月やお盆に実家に帰った話も聞いたことがない」

「……俺も詳しくは知らない」

知る機会はあったのに、知らないままにしていた。

話したくないことにはふれないほうがいいだろうと。

自室の雑多なものに取り囲まれたベッドのなかで、眠っている遼の姿を思い出した。あれは他人が入り込まないように築いた要塞《ようさい》の象徴なのかもしれなかった。傷つきやすいものの巣。誰も踏み込む人間がいなければ、遼はずっとあのままひとりで胎児《たいじ》のようにからだを丸めて眠っている。ひとのベッドには平気で入ってくるのに、決して自分にはふれさせない。矛盾した自意識の塊《かたまり》。

それでかまわないと思っていた。誰だって、ひとに追及されたくないものを心のなかに隠しているはずだ。それをさも重大そうに主張する人間もいれば、なんでもないことだとやりすごすほうが楽な人間もいるだろう。それが原因で閉じこもってしまうのでなければ——現に、遼は映像を撮ることで孤独になるのを免《まぬか》れているように見えるし、相沢のような友達がいる。だから、それでいい。いままではそう思って……。

「きみは遼に俺と話したことをいうの？　俺にどうしてほしい？」

相沢は迷った顔をした。

「あなたから……笹塚に声をかけてやってください。俺には原因がわからない」

英之が訪ねていっても、きっとなにもなかった振りをされるだけだった。遼はいつものようにつかみどころのない笑顔を見せて、「どうしたんですか」と問うだろう。

「——遼にいってくれる？　クッキーを取りにこいって」

相沢は「はあ？」と問い返した。かまわずに英之はコーヒーの残りをすすって立ち上がる。

「このあいだ持って帰るっていったのに、部屋にぶちまけていったんだ。新しいのを用意しておくから、欲しいならおいでって」

わけのわからないことをいわれたせいか、相沢は険しい表情になった。

「あなたのほうから笹塚に連絡とってくれないんです

か」

　非難がましい視線を向けてくる相沢に、英之は苦笑した。

「俺から近づいたら、どうせまた逃げるよ」


　ベッドに潜り込んでくるのが子どものままの意識だとしても、一緒に暮らしていた一カ月のあいだに、英之と遼が同じベッドで寝たのは一度きりしかなかった。

　遼はいつも床に敷かれた布団の上で眠っていた。十歳といえば、幼児ではないし、いくらなんでも同じ布団で寝ることはない。

　ただ一度だけ――あれは遼がいなくなってしまう前夜のことだった。

　遼の父親である笹塚眞一《しんいち》が水原《みずはら》家を訪ねてきた。英之は、階段の上から玄関を上がってくるそのひとを見た。モノクロのフィルムで見たときの印象とさほど変わらず、立ち姿が綺麗な男だったが、少しやつれたような陰りがあった。

　父がいつになく厳しい顔で「おまえは二階に行ってなさい」と告げたので、英之はすぐに自室に引っ込んだ。ほどなくして母親が「遼くんを部屋の外に出さないように」と伝えにきた。

　緊迫した様子からただごとではないと察せられた。どう考えても、預かっていた子どもの親が迎えにきたときの対応ではない。両親は、遼を実の父親に引き渡すつもりはないのだ。

　なぜ――？

　遼は訪ねてきた客人が、自分の父親であると知っているようだった。能面のようにこわばった表情をして、図書館から借りてきた本をいつもどおりにめくっていた。

　階下からは、やがていいあらそう声が聞こえてきた。すべては聞こえなかったが、細切れに聞きとれる声で全容は伝わってきた。

おまえになんの権利があるんだ――笹塚眞一がそう叫んでいた。細面の優男とは思えない怒号だった。英之の父親も負けずにいいかえす。おまえはどうかしてる、自分の治療に専念しろ、どうしてなんだ、そんなやつじゃなかったはずだろう……。それは悲痛な叫びにも聞こえた。

話し合いは、警察を呼ぶ、呼ばないのいいあいになった。笹塚は英之の父を誘拐罪で訴えてやると叫んだ。しかし、父は遼の母親から頼まれているからと突っぱねた。

「いま、警察を呼んだら、おまえは確実に裁判で親権を失うぞ。アルコールを抜いてからにしろ」

その一言が効いたらしく、笹塚はおとなしく帰っていった。

階下が静かになってから、それまで固まっていた遼がやっと反応を示した。本をもっている手をぶるぶると震わせて、目にいっぱい涙をためていた。泣き声をあげないように必死にこらえているようだった。

「遼……？」

英之があわてて肩を抱いてやると、「ごめんなさい、ごめんなさい」という言葉とともに、涙がぽろぽろとこぼれおちた。

「お父さんが……迷惑をかけて、ごめんなさい。僕がここにいるから……」

英之は「大丈夫だよ」と肩をさすり続けてやるしかなかった。さすがに心配になって階下に行き、父に一言、「大丈夫なんだよね？」と確認した。父は「なにが」とは問わずに「大丈夫だ」と頷いた。

「おまえたちはなにも心配することないから」

その夜、電気を消しても、遼はなかなか寝つけないようだった。布団から見える肩が小刻みに震えている。時折、はっとしたようにカーテンの閉まった窓のほうを見やる。

「お父さんがきっと外で見張っている」

英之は遼を安心させてやるためにカーテンを開け

て、外を確認してみた。もし、門のあたりをうろつく男の姿が見えたらどうしようかと思ったが、誰もいなかった。

「誰もいないよ。大丈夫」

遼は納得したようだったが、やはり眠れないらしく、布団のなかで何度も動いた。見かねて、英之は自分の寝ているベッドの布団の端を上げた。

「遼――怖いなら、ここにきていいから」

遼はとまどったように英之を見た。

「おいで。そばにいたほうが、怖くないだろ」

手招きすると、遼は布団から抜けだして、英之のベッドの布団に入ってきた。とはいっても、おずおずと端のほうでからだを小さく丸めて、英之の邪魔にならないようにしているだけだった。抱きつかれても驚くが、そんなふうに遠慮がちにされるのも困惑した。ひとに迷惑をかけまいとしているのだろうが、その動作を見ているだけで、なんともいえない気持ちが込み上げてきた。

「な。さっきよりも、怖くないだろ?」

頭をぽんと叩いてやると、遼は「うん」と英之を見上げてきた。少しからだを寄せてきても、その細いからだは決して英之にはふれない。

怖いときに、抱きつくことも知らない。ほんとうにひとに甘えたことがないのだとあらためて思い知った。

英之はそのまま遼の頭をゆっくりとなでてやった。遼はきょとんとした顔をしていたが、やがてくすぐったそうに目を閉じた。

「……どうして英之さんには、僕の気持ちがわかるの……」

頭をなでてもらうのが好きなのがなぜわかるのか、といっているのだろうか。正直なところ、英之には遼のことなどわからない。

あたりまえだ。まだ一緒にいて一カ月。おおよその事情は察しがつくが、事実を知っているわけではない。親類でもないし、立ち入れる領域も限られている。なにをしてやれるわけでもない。だけど、こうしてそばにいる限りは……。

「──僕は、お父さんと一緒に行かなくてもいいんだよね？」

確認するように遼がたずねる。英之は「いいんだよ」と応えながら、少しでも安心するように笑いかける。遼はほっとしたように息を吐いた。その安堵した笑顔を見たら、こらえようとしたものが抑えきれなくなった。

ふたりきりの上映会では、スクリーンの青白い光の魔法がきいたみたいに、遼は明るい表情を見せた。夜に彩られた時間のなかでなら、ほんとうの気持ちで答えてくれるかもしれない。

「……遼。お父さんに、怖いことされてるのか」

遼ははっとした顔つきになった。

「──殴られてる？」

いままでたずねなかったことを初めて口にした。遼は英之を見つめ返したまま、その大きな目がいまにも泣きそうに揺らいだ。

「そんなこと……されてない」

「ほんとうに？」

傷口にはふれないようにしていたが、ひょっとしたら膿《うみ》をしぼりだしたほうがいいのではないかと思ったのだ。だが、間違いだったとすぐに気づいた。遼がかわいそうなほど必死の形相になったからだ。

「お父さんはなにもしてないよっ……！」

「…………」

あまりの勢いに息を呑む。遼はあわてた様子になって言葉を継いだ。

「お父さんはいま、病気なんだ。だから、一緒にいないほうがいいっていわれてるんだ」

「……そう」

「みんなは変なことをいうけど……誤解してるんだ。お父さんは僕にひどいことなんてしないよ。だって、お父さんなんだから。そうでしょう？」

英之は「そうか」と頷くしかなかった。さまざまな色の感情があふれてきて、眩暈《めまい》がした。からだに暴力を振るわれた痛々しい痣《あざ》があることは知っているのに――それでも、懸命に父親を庇う遼に、「いや、おまえのお父さんは悪いやつだ」とはいえなかった。

僕は間違ってないよね？　――とすがるような顔を見ていると、遼がぎりぎりのところで自分を保っているのがわかった。

間違っていると……いえるわけがない。それは遼の心を打ち砕くことだった。

「そうか、ごめんな。……変なこと聞いたな」

うろたえるところを見せたくなくて、英之はごまかすように遼を抱きしめた。遼は「え」と驚いた様子を見せてから、落ち着かなげに腕のなかでもぞもぞした。やがて慣れてきたのか、おとなしくなって目を閉じる。わずかに綻《ほころ》ぶ口許は、モノクロのフィルムのなかで笑っていた頃の無邪気な幼い笑顔を連想させた。

「お父さんの病気が治ったら……また一緒に仲良く暮らせるんだ。それまでの辛抱なんだよ。だから僕も頑張らなきゃ」

人前で口もきけない状態になってるのに？　これ以上、なにを頑張るというのか。

遼がしゃべらない真の理由がおぼろげながらに推測できた。無意識のうちに、この子は口をつぐんでいるのだ。父親を断罪する言葉を吐いてしまわないように――お父さんはなにもしてないと嘘をつかなくてもすむように？

「遼……ごめんな」

どうして謝るのか、と遼はたずねなかった。英之も自分がどうしてこんなことをいうのかわからなかった。ただひたすら「ごめん」としかいえなかった。

自分はなにもできやしない。なんの力もありはしないのだ。

「……ずっとここにいられたらいいなあ」

腕のなかでぽつりと遼が呟いた。先ほど父親と仲良く暮らしたいといったばかりなのに、預けられているよその他人のうちにずっといたいなんて矛盾している。けれども、その矛盾をつくことはできない。

英之は「そうだな」と抱きしめた背中をなでてやった。それ以上はなにもいえなかった。明日になったら、少しでも遼の喜ぶことをしてやろうと思った。撮影計画を具体的に練《ね》って――。

「……ありがとう」

寝ぼけたような声が呟いた。どうしてそんなことをいうのかわからなかったが、あとになってから、遼はひょっとしたら水原家に滞在する日がもう残り少ないと察していたのかもしれないと気づいた。

ふたりきりの夜は、不思議な力に守られているように穏やかに過ぎていった。あれほど怯《おび》えていたのに、遼は英之のベッドのなかで安心しきったように寝入った。

静かだった。眠りを妨げる悪いものはすべて消え失せてしまったように。あたりは静寂に満ちていて、健やかな寝息しか聞こえてこない。夜の帳《とばり》は、恐怖を増大させるものではなく、外の脅威から暗闇で無力さを守ってくれるものだった。

夢のなかで、ふたりきりの上映会を開いた。遼が好きだといったフィルムばかりを映写機で見せた。歓喜に輝く笑顔。こうして同じ布団にくるまっていれば、たぶん遼も同じ夢を見ている。サイレントのフィルムが頭のなかでいくつも流れていった。

朝になっても、夜の魔法が消えなければいいのにと、英之は祈るように小さなからだの体温を抱いたまま眠りに落ちた。


日曜日の朝は、昼近くまで眠っているのが習慣だった。いつもなら無視してしまうのに、十時過ぎに鳴らされたインターホンで起きる気になったのは、予感めいたものが頭の片隅をかすめたからだった。

「はい」

応答すると、「おはようございます」とすました声がした。

「おはよう……？」

遼だった。友人の相沢とカフェで話をしたのは、昨日のことだ。もう連絡がいっているのか。まだ新しいクッキーを用意してないな、と半分寝ぼけた頭で間の抜けたことを考える。

やがて玄関に現れた遼は、英之がまだパジャマ姿だったことに驚いた様子だった。「適当に座ってて」といいおいて、英之は着替えて顔を洗いに行く。

リビングに行ったときには、遼はソファに座ることなく、窓の側に立っていた。

「――クッキーもらいにきたんですけど」

逆光で照らされたその顔はいつもながらつかみどころのない表情を浮かべていた。穏やかではあるけれど、この手をすり抜けていく微笑み。

「ごめん。これから買いに行くところだった。なにがいい？　好きなの買ってやるよ。どうせこだわりがあるんだろ？」

「……わざわざ買うんなら、いいです。相沢に聞いたから」

抱きしめたときは逃げだしたくせに、どうして何事もなかったような顔をして訪ねてくるのか。だが、いいかえれば、二度と現れなければすむことなのに、そうまでして遼は自分に会いたいのだ。そうやって、いいほうに自惚《うぬぼ》れて考えることにする。

「買ってくるよ。甘いもの好きなんだろ？　それで釣られて、顔を見せてくれたんだから」

遼は反応に困った顔を見せたあと、探るような視線を向けてきた。

「僕の顔、見たかったんですか？」

「――見たいよ」

でなきゃ抱きしめてキスするわけがないだろう――という方向に話をつなげたかったが、また逃げられては困るので思いとどまった。それでも言外の意味を感じとったのか、遼は居心地《い》悪そうに目を伏せた。

英之はコーヒーを淹れるためにキッチンに向かう。

自分の朝食もすばやく用意して、コーヒーが出来上がるのと同時に、ソファのテーブルへともっていく。

英之が離れているあいだに、遼はソファの端に腰かけていた。遼にコーヒーをすすめて、自分は食事をとる。しばらくは沈黙が続いた。

「引きこもってたんだって？　相沢くんが心配してた」

「ああ……三日間ぐらい、誘いに乗らなかっただけなんですよ。いろいろとやることがあって」

遼は不本意そうに顔をしかめる。そんな心配をかけるつもりはなかったといいたげだった。

「相沢くんはいい友達だな」

「……あいつは……」

いいかけて、遼は気がかりがあるような顔を見せた。

「あいつに……なにかいいました？」

「なにも？」

キスしたことをしゃべったのかという意味だと捉《とら》えた。遼はほっとしたように「そうですか」と応えた。

「……あいつは、僕が駄目なやつだってわかってても、つきあってくれる、ありがたいやつです」

そう語る横顔は和やかだった。それだけ心を許している相手でも、一定の距離以上は近づかせないのか。友人以上の好意を寄せられたとしても、応えられないのか。

「相沢くんでも駄目なの？」

え――と遼の目が揺らいだ。

「遼は好きにならないのか。恋愛相手には思えない？」

「また、尋問ですか？」

いいようにはぐらかされるかと思ったのに、そのつもりはないようだった。ある程度、英之になにをたずねられるのか覚悟してきたのかもしれない。ついでに模範解答も用意してきたのだろう。自然体のようでいて、不自然につくられた表情と言葉。

「僕はそういう意味では――誰も好きにならないって

決めたんです。英之さんは僕の子どもの頃を少し知ってるから察しがつくだろうけど、僕にはふつうのひとがあたりまえにできることがひどく難しい。でも、難しいやつだとは思われたくない。そこを保つだけで、精一杯」

遼は軽く肩をすくめてみせた。努力している――という相沢の言葉が思い浮かんだ。

誰も好きにならないと宣言している相手に想いを寄せるほど愚かなことはなかった。そもそもこの感情がなんなのかすら、英之はいまだによくわからない。昔、過ごした一カ月間のことを思い出すほどに、気持ちは曖昧《あいまい》になった。いったいなにをしたいのか。過去に抱きしめた小さな子どもを救いたいのか。それとも、いま目の前にいる青年にただ惹かれているのか。どちらにしても、もう以前のように距離を保つことは不可能だった。踏み込むな、といわれているラインの外に黙って立つことは。

「三日間、相沢くんたちの誘いをことわって、なにしてた？」

「……映像の整理を年代別にしてました。おおまかに分けてはあったんだけど、きちんとカテゴライズして。やりはじめたら没頭して、三日間なんてあっという間に過ぎた」

そのあいだに相沢がひとりでヤキモキしていたというわけか。むくわれないな。自分の姿を見るように思えて、英之は嘆息しながらテーブルの上の煙草に手を伸ばす。

「整理しながら、考えてたんです」

「……なにを？」

「なんだろうな。どうして僕は英之さんと再会したんだろうって」

「うれしがってくれたんじゃないの？」

「うれしかったですよ」

間髪《かんはつ》をいれずに答えが返ってきたことに面食らう。

遼は相沢のことを語るときに見せた和やかな表情とはまた少し違う、わずかに緊張を孕《はら》んだ、それでいて柔和な笑みをたたえた横顔で呟いた。

「なんでこんなにうれしいんだろうって——それをずっと考えていたんです」


その日はほかに用事があるから午前の早い時間に訪ねてきたのかと思いきや、なにも予定がないということだった。

仕事の邪魔をしないからここにいてもいいかと問われたので、英之は遼を連れて出かけることにした。ちょうど買い物もあったし、帰りに外で食事をしようと思ったからだ。

それにしてもわけがわからない。ひとのキスを拒んで逃げだしてしばらく音沙汰なしだったくせに、久しぶりに訪ねてきて一日中一緒にいたいという考えが理解しがたかった。しかも、先日の件にはなにもふれないままだ。


もちろん英之が話題にださないせいもあるのだが、今度こそはラインの外ではなく踏み込むと決めていたから、慎重にタイミングを測っているつもりだった。それを知ってか知らずか、遼はやはり何事もなかったような顔を決め込んでいる。

だが、その意識していない態度が却《かえ》って好ましくもあった。正直なところ、関わりたいと思っていても、英之自身、どこまで踏み込んでいいかは迷っていたからだ。

買い物をしている間中、店のなかにいるときはそれなりにしゃべるのに、車の助手席に座っているとき、遼は無口になった。「疲れた?」と問いかけても、「いや」と首を横に振るだけだ。

早めの夕食を外でとったら、その日はそのまま遼の部屋に送っていくつもりだった。食事を終えたあと、遼は車に乗るなり「英之さんの部屋で映画が観《み》たい」といいだした。ことわる理由はないので、新作のDVDを借りてから部屋に戻った。遅くはない時間だったので、まさか今日は泊まるとはいわないだろうと思っていた。

ところがDVDを観ている途中で、遼は眠ってしまった。観たいといっていたわりには、興味をそそる内容ではなかったらしい。

英之はやれやれと遼のからだに毛布をかけてやった。ひょっとしたら一日隣にいて、遼なりに緊張して疲れたのではないか。彼だって、このあいだのことは気にしているはずだ。いくらなんでもキスされたことを忘れたわけではないだろう。

少しでも寝かしてやろうとして、英之はデスクのある部屋に行って、仕事を片付ける。集中しているうちに時間が過ぎて、十一時近くになっていた。

あのままソファで寝かせておくか、と思ったが、一応起こして帰らせようと腰を上げる。

リビングに行くと、遼はいつのまにか目を覚ましていて、ソファに座って先ほどのDVDを観ていた。集中しているのか、どこか放心したように画面を眺めている。声をかけるのを一瞬躊躇《ちゅうちょ》してしまったほどだ。

「起きてたのか。もう遅いから、起こそうかと思ってたんだ。帰るんだろ？」

「……いま、何時ですか」

遼はテレビを向いたままたずねる。

「十一時過ぎだけど」

しばらくなにもいわないまま、遼は画面に見入っていた。それほど面白かったか、と英之もテレビのほうを振り向いたときだった。

「……泊まろうかな」

遼はうつむいて、少しいらついたような仕草で髪の毛を何度もかきあげながら、ぼそりと呟く。

「――泊まるの？」

このあいだは逃げたくせに？　という問いかけが喉まででかかった。

遼はすぐには返事をせずに目線を下げたあと、ややあって英之を見上げた。

「いいですか、泊まっていっても」

「いいよ。布団はここにもってこようか」

いつもは英之が寝ている部屋の床に客用布団を出していたのだが、今回はリビングのほうがいいだろうと気を遣ったつもりだった。なにやら忍耐力を試されているような気がしたが、どうしても子どもの頃の印象が強烈で、こちらが引かなくてはならない気分にさせられる。

「いや……英之さんと同じ部屋でいい」

遼は抑揚のない声で呟いてから、再び画面に向き直った。


いわれたとおりに寝床を用意すると、遼は硬い面持ちで部屋に入ってきた。

布団に腰を下ろし、考え込むようにうつむいてじっとしている。英之が「電気を消すよ」と声をかけても、横たわろうとしなかった。


部屋の電気を落とす代わりに、ベッドサイドに置いてある間接照明の灯《あ》かりをつけた。背の高いライトは、遼の布団のところまで暖色の灯かりで照らす。緊張したような横顔が、なにを考えているのかはわからなかった。

「――まだ眠くない？」

いつまでたっても布団に入らないので声をかけると、遼は迷ったそぶりで何度か口を開いた。

「……どうしたらいいのか、わからない」

かすかに呟く声はそう伝えてきた。わからないのはこっちだ、と英之はいいかえしたかった。

ふと、布団の上に座っている遼の手がかすかに震えていることに気づく。子どものときにも最後の夜、布団から出た肩が小刻みに震えていたことを思い出した。

あの夜と同じように、英之はベッドに腰掛けたまま自分の布団の裾を上げてみた。

「遼――おいで」

遼がはっと振り向く。

「どうせ夜中に潜り込んでくるんだろ？　だったら、最初からこっちで眠ればいい」

すぐには動かないだろうと思っていたら、反応が驚くほど早かった。遼は硬い表情のまま立ち上がり、ベッドのそばにやってきて、座っている英之を見下ろした。そこでいったん迷ったように動きを止める。

英之は手を伸ばして、遼の腕を引いた。

「どうした？　――おいで」

引かれるままに、遼はベッドにあがり、英之と向き合って座る格好になった。すぐに抱きしめたかったが、手を握るのにとどめる。落ち着くようにさすったり、指をからめる。やがて緊張がとけてきたのが表情から窺《うかが》えた。

「……くすぐったい」

抗議しながら、遼は口許《くちもと》に小さな笑いを浮かべた。

「そう？」

英之はわざと手の平をくすぐってやった。遼が「やめてくれ」と手を引こうとする。その手をぐいっとつかんで、身を乗りだし、唇を近づける。

逃げる時間を充分に与えて、ゆっくりと唇を合わせたが、遼は抵抗しなかった。

もう一度くちづけたときには、もっと深く唇を重ねた。しつこく舌を吸うと、遼は顔をしかめて、とまどったようにからだを引く。

非難がましく睨《にら》みつけてきた表情がおかしくて、英之は噴きだした。

「なんで笑うんです？」

「……いや……」

不満そうな表情を浮かべていた遼が、考え込むように目を伏せる。

「……なんで、こういうことするんですか」

「なんでだろうな……」

先ほどまで、英之自身もわからないと思っていた。しかし、こうしてふれてしまえば、考えるまでもなくあふれてくる想いがある。

かつて自分の前を通りすぎていってしまった少年も、そしていま、目の前でこわばった顔つきをしている青年も、両方がいとおしくてたまらなかった。

「――好きだ」

再び顔を近づけて、秘密を打ち明けるみたいに耳もとに囁《ささや》く。遼はわずかに動揺した目の色を見せた。

「なにいってるんですか……どうして……」

「俺だってこんなつもりじゃなかった。だけど、遼が恋愛しないって聞いたら、腹が立ってしようがなかったんだ。俺を相手にしてほしいって思ってるんだって気づいた」

「……」

遼はにわかには信じがたい様子で英之を見ていた。やがて頑《かたく》なに首を振る。

「……でも、僕は誰も好きにならない」

その意固地な主張がすぐになくなるとは思っていなかったので、英之は落胆しなかった。

「どうして」

「――その資格がない。好きになると、壊れてしまうから」

資格？　なにが壊れるのか。自分が？　それとも相手が？

「……それでも、俺は遼が好きだよ」

「勝手にすればいい……だけど、僕は無理だ」

遼が顔をそむけたので、英之はその背中に腕を回した。

「じゃあ、勝手にする」

返事を待たずに抱き寄せて、先ほどよりも深いキスをする。こわばっていたからだは、腕のなかで徐々に力が抜けていった。

英之は遼の頬から耳もと、首すじにそっと唇を這わしていく。新たな場所にくちづけるたびに、遼の口から押し殺したような息が洩れた。からだは男そのもので筋ばっていて硬いのに、唇にふれる肌はとろけそうになめらかだった。

胸に頭をつけると、早鐘を打つ心臓の鼓動が聞こえてくるような気がした。英之はあやすように再び耳もとにくちづけながら、遼のからだをゆっくりとベッドに倒した。

キスをくりかえして、やさしく胸もとをなでる。どこまでなら逃げられないのだろうと考えながら慎重な手つきで、シャツの裾から手を入れてまくっていく。

素肌にふれても、遼はからだを震わせただけで、拒まなかった。色素の薄い肌のなかで、小さな突起がほんのりとピンクに色づいているさまを見ただけで、視覚的には充分に刺激された。

男相手にどうしようか、という迷いはほとんど消えて、夢中で敏感な肌に舌と指であとをつけた。キスを散らすたびに、遼の目もとがほんのりと赤くなった。気持ちいいというよりも、苦痛を覚えている顔つきだった。

「平気？　いやじゃない？」

問いかけながら、その目許をなでる。

「わからない……したことないから」

下着ごしに下腹をさぐると、すでに硬くなっていた。英之が手を動かすたびに、遼は苦しげな息を吐く。

たしかに慣れてないようで、反応の薄い、綺麗な人形を抱いている気分だった。だが、とりすました顔が少しずつこらえきれないように崩れていくさまを見るのは悪くなかった。

英之の眼差しに気づいたのか、遼はいやそうに片手で自分の目許を覆った。

「……悪趣味だ……なんで、そんなに」

目許を隠している手をそっと剝がして、くちづける。長い指の一本一本にていねいにキスをした。指の先をかるく齧《かじ》ると、遼が「痛い」と眉をひそめる。

ごめん――と額に笑いを含んだキスをする。

「……見たい。遼の感じてるところ」

納得したのかどうかはわからないが、遼はもう顔を隠そうとはしなかった。英之の指の動きに反応して、肩を上下させて、荒い息を吐く。

「――……あ」

細い喘《あえ》ぎとともに、英之の指さきが白い飛沫《ひまつ》で濡らされる。

達したあと、遼は首すじまで朱に染めていた。やがて少しずつ顔に白さが戻り、放心したような表情になる。

濡れたところをティッシュで拭われてもされるままになっていて、ほとんど反応しなかった。無機質なのに、英之を見つめる瞳は不思議に澄んでいて、妙な艶《つや》っぽさがあった。

「……どうして……英之さんは僕の気持ちがわかるんですか……」

いつかの夜と同じようなことを呟いた。視線を合わせると、遼は虚ろな目を返してきた。

「……このあいだ……ふれられたときに、わかったんです。ああ、僕は英之さんとこういうことをしたかったのかって……だから、再会してうれしかったんだって」

それは好きだという意味ではないのか。

子どもの頃と同じように、英之には遼の気持ちなどまったくわからない。むしろ理解できてないことのほうが多い。

それでも知りたい、ふれたいと切望する気持ちがあるから、腕に抱く。

「こういうことしたの、初めて？」

遼は「ええ」と頷く。

「キスも？」

意外なことに、遼はのろのろと首を振った。キスは経験があるのか——と嫉妬めいた感情がかすかにわいたとき。

「このあいだ……英之さんにされたのが初めて。……部屋に帰ったあと、頭がおかしくなりそうだった。ずっと落ち着かなくて……気を静めようとして」

それで映像を年代別に整理しはじめたというわけか。雑念を払おうとして、黙々とパソコンを前にして作業している姿を思い浮かべると、笑いがこぼれた。

遼が不機嫌そうに睨んできた。

「笑うところですか」

「いや――かわいくてさ」

英之は遼の額に手を伸ばして、髪をなでた。不快そうにゆがめられていた遼の表情がやわらかくなり、瞼がゆっくりと閉じる。

「子どもの頃も……英之さんは同じことをいった」

頭をなでてやったことだろうか。こちらも慣れていなかったが、遼も緊張したように頭をなでられていたことを思い出す。

いまは――英之が頭をなでても、遼はゆったりとした表情で目を閉じていた。

再会してうれしかった、自分にふれたかったというのに、それでも「誰も好きにならない」といいきる心理はどこからきているのだろう。やはり矛盾していると思ったが、問い質す気にはなれなかった。たとえその混乱に乗じて、抱きしめているのだとしても。

「……続きをしてもいい？」

閉じた瞼にキスを落とすと、遼は億劫《おっくう》そうに目を開けた。

不服げな顔にキスをする。英之は遼の腕をシーツにはりつけるように押さえながら、ゆっくりと覆いかぶさる。

無表情を保っているはずなのに、時折、遼の瞳は不安な揺らぎを映しだす。続きはなにをするのだと問われる前に、英之は再びキスで遼の口をふさいだ。

口腔を嬲《なぶ》るたびに、腕のなかのからだが発熱し、とろけていくのがわかる。

すれちがっているとわかっているのに、抱きしめずにはいられない。その距離感があればあるほど、少しでも隙間を埋めるようにして――。

5

飲みに行った夜、久しぶりに三橋《みはし》の家に泊まった。

いつもなら泊まることなどないのだが、彼女と別れたという三橋は愚痴と思い出を語る相手を探していた。日頃いろいろ仕事込みで世話になっている英之《ひでゆき》はかっこうの餌食だった。「淋しいから泊まっていけよー」と泣きつかれれば、ことわれるものではない。

「おまえ、彼女は？　沙世《さよ》ちゃんの次、できたのか？」

「俺のことはいいじゃないですか。今日は三橋さんの話でしょ？」

「おおっ、そうだった……」

そういって飲みながら話す内容は同じことのくりかえしだった。それほど未練たらたらなら、すがりついてでも別れなければよかったのに――と思うが、決してアドバイスはしない。あとでなにかあったときに「おまえのせいだぞ」と責められる可能性があるからだ。

三橋が語りつかれて寝たら家に帰ろうと思っていたのに、英之のほうが先にいつのまにか寝入ってしまった。

明け方、カーテンの向こうが明るくなってきたことで目を覚ます。起き上がると、ソファにいるのは英之ひとりで、三橋は寝室で寝ているようだった。冷え込むからか、毛布だけでなく薄掛け布団までかけられてあった。いいひとだと思うんだけどな――と思いながら、「帰ります」と書き置きのメモをテーブルに残して部屋を出る。今日は土曜日で、三橋は会社に行く必要がない。あれほど派手に飲んだあとは、正午すぎにならないと起きてこないことを知っているからだ。

部屋で寝なおすかと考えながらマンションに帰り着くと、玄関に遼《りょう》のスニーカーがあった。どうやら昨夜、訪ねてきたらしい。電話かメールで連絡をくれれば、途中で切り上げて帰ってきたのに――と思うが、遼が決してそうしないことは知っていた。

まだ朝早いので起こさないようにと寝室のドアをそっと開ける。遼は英之のベッドにみのむしのように布団にくるまって眠っていた。

十一月にも入ると、かなり冷え込んでいる。ましてや昨日は寒かったからだろう。

初めてからだを重ねた日の翌日には、合鍵を渡した。英之はフリーランスで家にいる時間が多いため、あまり鍵を渡しても意味はないのだが、「いつでもおいで」という意思表示のつもりだった。

遼は鍵をじっと見つめたあと、「僕の部屋のも欲しいですか」と訊いてきた。「くれるの?」と聞き返したら、「交換したほうがフェアですよね」というので、もらうことにした。そうでなければ、遼が鍵を使ってくれないような気がしたからだ。一応受けとったものの、英之は遼の部屋の鍵を使ったことは一度もない。

だが、遼は頻繁に英之の部屋を訪れるようになった。試写会や打ち合わせが続いて留守がちになるというスケジュールを伝えておいても、まるで見計らったかのように合鍵を使って部屋で過ごしているようだった。英之本人がいなくても、英之の部屋は居心地がいいということなのか。いや、もしかしたらいないほうがいいとすら思ってるのか。

よくわからない習性だと思ったものの、自らのテリトリーが広がったというふうに捉《とら》えられているのなら、それはかまわなかった。

遼の寝顔を確認すると、英之はシャワーを浴びて軽い朝食をとった。そのまま起きていようかと思ったが、やはりソファでは熟睡できなかったためか、眠気とだるさがとれなかった。少し寝ることにして、再び寝室のドアを開ける。

遼はまだ眠っていた。そろそろ九時近くになる。もう起こしても文句をいわないだろうと思って、ベッドにあがる。布団のなかに入れてくれと、からだに巻きつかせている布団を引っぱると、いやだと抵抗された。

「――遼……」

髪の毛をくしゃっとなでてやると、猫が咽喉《のど》を鳴らすように、しかめっ面の表情がやわらいだ。パジャマは英之のものをしっかりと着ている。「着心地のいい生地だ」といっていたから、気に入っているのだろう。好きに着替えていいとはいったが、家主がいないあいだにひとのパジャマを着て、ベッドでぐうぐう寝て、布団をひとりじめしているのだから――遠慮がちなのか、図々しいのか、相変わらず印象が定まらない。

それでも自分の手の届くところにいるのはたしかだった。

「好きだ」と告げて、からだも繋げた。ふつうの恋愛ならこれで一応の安定を得られるのに、遼相手だとそうはならないのが厄介だった。遼は英之とこういう関係になっても決して自分から「好きだ」とはいわない。意地っ張りだとか、照れているとか、単に言葉の表面上の問題ならいいのだが、彼の場合はもっと根が深そうだった。

鍵を渡してから、三日にあげずきていたのに、ここ一週間はご無沙汰だった。朝の光に照らされた遼の整った顔立ちは、自然のライティングのおかげで、よりいっそう綺麗に見えた。もう少しこの容姿を武器にするくらいの要領のよさがあったらいいのだが、本人はまったく頓着《とんちゃく》がない。寝顔をじっと見ていると、視線に気づいたように遼が目を開く。「おはよう」と声をかけると、まだ半分寝ぼけているような眼差しを返してきた。

「……おはようございます」

ぼそぼそと応《こた》えて、だるそうにからだを起こす。まだ眠りたりないといった様子で、髪をいらだたしげにかきあげる。

「まだ起きなくてもいいだろ。俺はこれから少し寝るけど」

「そうですね……」

腕を引いて抱き込むと、珍しく素直にからだがついてきた。これでぎゅっと抱きついてくれるようなところがあれば、かわいげがあるが、遼はおとなしく英之の腕のなかにいても居心地の悪そうな顔をしているだけだ。おまけに、今日はいつもよりも不機嫌そうだった。

「……朝になって帰ってきたんですか」

「ああ。さっき、一度覗いたけど、よく眠ってたから」

「…………」

不自然な沈黙に、昨夜どこにいたのか、遼が気にしているのだと思い至った。

「三橋さんのところで飲んでたら、いつのまにか眠ってたんだ」

理由を話すと、遼は真偽をたしかめるかのように英之をじっと見つめたあと、かすかに小馬鹿にしたように笑った。

「べつに聞いてない」

「嘘つけ——」

生意気な唇をふさぐつもりでくちづける。遼は口を開いて、英之のキスに応える。ハア……と乱れる息がせつなげだった。もっと——とねだられているようで、唇だけにとどまらず、頬や額にもキスを浴びせかける。

パジャマのシャツの裾から手を入れて、肌をなでていく。明るい光に照らされた白い肌に、神経が一気に刺激された。胸までめくりあげると、むきだしになった色の薄い乳首を吸いながら、下を脱がせた。

「あ——」

朝からそこまでされるとは思っていなかったのか、遼はとまどった様子で腕から逃れようとした。拒む声を聞いたら、よけいに昂《たかぶ》るものがあって、英之は反応している腰を押しつけた。硬いものをこすりつけられて、遼はわずかに目許を赤くして、からだの力を抜いた。

「——させて」

囁くとおとなしくなったけれども、足を広げさせて繋がる場所を慣らしていると、さすがに明るいなかであられもない格好をさせられていると気づいたのか、遼は「もういいから」とローションを塗る英之の手を拒んだ。

「……もっとしないと、痛いだろ」

「平気だから」

急かされるように、足をかかえあげて挿入する。きつい感触がしめつけてきた。遼はうめき声をあげる。

初めてしたときは「やっぱりするのか」と挿入の行為に驚いたようだが、遼は「いやだ」とはいわなかった。いまも、英之が腰を動かすたびに、相変わらず苦しそうな顔を見せる。だが、律動をくりかえしているうちに、肌が興奮に染まって、発汗してきた。湿った熱がふたりのあいだで交じり合う。

英之は自分にいままでゲイの嗜好はないと思っていた。なのに、どうしてこれほど抵抗なく抱けるのか不思議でしようがない。これ以上嵌《はま》ったらまずいだろうと考える間もなく、深いところまで落ちている。いまさら抜けだせない。腕のなかにいるものを手放すことなど、もう考えられなかった。

「……平気？」

ビクビクと震えるからだを押さえつけて、さらに奥に突き入れて揺さぶった。

「…………ん……」

細い喘ぎを吸いとるようにキスをしながら、腰をかかえあげて根元まで入れる。前をいじると、遼もとろとろと先端を濡らしていた。

「気持ちいい？」

耳朶《みみたぶ》を噛みながらたずねても、遼は「……知らない」とかすれた声で答える。

「よくない？」

意地悪をするつもりで、感じやすいところに当たるように動かす。遼は「……あっ」と唇を噛み締めた。セックスの最中、遼はほとんど声をたてない。たいていは押し殺したような声を洩らすだけだ。

しばらく我慢していたようだが、何度も内部をこすりあげられて、遼はほどなく射精してしまった。痙攣《けいれん》と同時に内側を締めつけてくる。力の抜けきった顔にキスをしながら、英之もその刺激に腰を震わせて達した。

終わったあと、遼はいつも心ここにあらずといった不思議な表情を見せる。抱いているときに近くに感じられるのはほんの一瞬だけで、いつも遠い。

「……そろそろ起きなきゃ……」

遼は髪の毛をかきあげながら、のろのろと起き上がる。英之はその腕をつかんで引き寄せた。

「まだ寝てればいいのに。土曜日なんだから」

「隣に変なことをするひとがいるから眠れない」

恨みがましそうにいってから、遼はやんわりと英之の腕をはずす。

「少し一緒に眠ってほしいんだけどな」

英之が再度腕をひくと、遼はわずかにためらったものの、「仕方ない」といいたげに再び布団に入ってきた。

英之は背後から遼を抱き込んで耳もとにキスをする。ほんとうに一緒にまどろんでもらうだけのつもりだったが、何度か軽くキスしたり、からだをなでまわしているうちに再び下腹が疼《うず》いてきた。

腕のなかにある体温がいとしくてたまらない。うなじにキスする呼吸が荒くなっているのに気づいたのか、遼が腕から逃れようとする。押さえつけて、強引に振り向かせてキスをする。

「――もう一回だけ」

遼は抗議したいような顔を見せたものの、駄目だとはいわなかった。

先ほどの挿入で潤んでいるところに背後から突き入れる。遼は枕に顔を埋めたまま腰だけ上げた体勢で、律動に合わせて細い肩を震わせて荒い息を吐いていた。その白いうなじに噛みつくようにしながら、英之はさらに腰をかかえて揺さぶった。

なにもかも初めてだといったものの、遼は男も女も駄目だといっていたわりには、英之との行為を素直に受け入れる。このあいだも「無理しなくてもいい」といったのに、「いつもしてもらってるから」と自ら英之のものを口に含んだくらいだ。恋愛経験がなくて、あまりにも初心《うぶ》すぎるから、却《かえ》って抵抗を感じないのかと考えたが、そうでもないようだった。とまどいを見せつつも、羞恥に目許をほんのりと赤らめて、耐えているような硬い表情を見せるから、抱くほうにしてみればたまらない。

遼がセックスすることをどう感じているのかはよくわからなかった。「こういうことをしたかった、再会してうれしかった」といったことを、遼も望んでいると解釈しているけれども、相変わらず「恋愛はしない」という主義を撤回したわけではないからだ。

「好きだ」とは応えてくれないのに、からだの接触は拒まない。「しないほうがいい?」とたずねると、「してくれたほうが落ち着く」と答える。こちらも抱きたいし、我慢などできるわけもないから回数や行為の濃度は増していくが、根本にあるものが見えなくなっている。抱きあう甘さにごまかされているけれども、いつまでも有耶無耶《うやむや》にできるものでもない。

いまの状態でも、普通につきあっているのとなんら変わりないので、そのまま時間が過ぎていけばいいのかもしれない。だが、英之は遼のことを知らない。どうして「恋愛はしない」といいはるのか。

子どもの頃、英之の家を出てから、いったいなにがあったのか。本人は「忘れた」といっていっさい語ることはない。腕のなかに抱いていても、どこか遠いのはそのせいかもしれなかった。

それが物足りないと思うのは、どうしようもなく溺れている証拠だった。からだだけではなく、その隠された心のなかまで見せてほしいと願うのは。

とりあえずはからだだけでも――と思って、抱きしめると腕のなかから放せなくなってしまう。

「……ほんとにもう起きる」

二度目の行為が終わると、遼はすぐにからだを起こした。再び挑まれたらたまらないと思っているのだろう。けれども、腰に力が入らないのか、ベッドから出ようとはしなかった。

英之はその背中をつーっと指でなぞる。おもしろいくらいにビクッと反応して、飛び上がる。振り向いたときには、あきれた視線を向けられた。

「英之さんて、案外子どもですね」

「一週間ぶりなのに、そっちがいやそうな顔をするからだろ。こっちは夢中になってるのに」

「あなたに好きにのしかかられたら、僕のほうが体力消耗するに決まってる。不公平だ」

遼は不満そうにぶつぶつと呟いた。鍵も交換したほうがフェアだというし、平等が好きらしい。セックスしている最中は、硬い表情のなかにも色気があるのに、終わった途端に消えうせる。正確にいうなら、黙っている限り、絵のように綺麗な男ではあるのだが。

「今度は遼が疲れないやりかたを考えるよ」

「変なことをするなら、いまのままでいい」

しかめっ面を向けられて、英之は思わず噴きだした。

「変なことって？　俺がなにをすると思ってる？」

「……せっかく慣れてきたのに、変えられると困るんです」

「なるほど」

その理屈は、行動パターンを見ていれば理解できた。変化を極力嫌うのだろう。その代わりに、心地よいと思えばずっと続く。同じラスクを食べ続けるように。

「――遼がいやになったら、しなくてもいいから」

遼は奇妙なことを聞いたように動きを止めた。

「……僕がいやだっていったら、英之さんはどうするんですか？」

「どうするって……なにもしないよ。無理やりしたら、きみは逃げるだろ。キスしたときだって、俺を振りきって逃げたんだから」

「――あれは……驚いただけです」

不本意そうに呟くと、遼は黙り込んでしまった。英之のほうから、関係が終わりになる場合を想定して話すと、いつもこんな反応を見せる。「好きだ」と告白して、答えを返してもらえない可哀想な立場はこちらのほうなのに。

英之は腕を伸ばして、遼の髪をそっとなでた。

「……忙しかった？　一週間こなかったろ」

「オープンハウスの手伝いがあって――プレゼン用の映像とか、ポスターとかを制作してました」

「オープンハウス？」

「研究室の先生が補助金をもらってるので、その研究成果を発表するんです。だから、準備でいろいろと」

「プレゼンの映像？　いつ？　大学でやるのか」

「補助金を出してくれてるところが主催なので、会場は別のところだけど」

「見に行くよ。プレゼン手伝うんだろ？」

「駄目」

にべもなくいわれて、「なんで」と問う。

「僕は真面目に勉強してるから。そんな場所に英之さんが現れたら……動揺する。迷惑だ」

抗議するようにいいつのるさまがおかしかった。

「べつに俺が行っても、堂々としてればいいだろ？　なんで動揺するんだ。……こういうことしてるから？」

耳もとをなでると、遼は眉をひそめながらその手をはねつけた。

「そうですよ。絶対にこないでください」


あれほどいやがっていたのだから、その研究発表会とやらを見に行くつもりはなかった。だが、出版社の近くのカフェで打ち合わせをしたとき、近くに座った集団の話し声が偶然洩れ聞こえてきてしまった。オープンハウスがどうのこうの、先生の講演が何時からだから……という内容だ。横目でチラリと見ると、その分野を専攻している学生たちらしかった。

遼が帰ったあとに、ネットで情報だけは調べていたものの、具体的な日時や会場の場所などは忘れてしまっていた。そうか、今日……この近くだったのか。

打ち合わせをしている編集者に、「学術総合センターってご存知ですか?」とたずねると、ていねいに場所を教えてくれた。

それでも見に行こうと思っていたわけではないのだが、打ち合わせが思ったより早くに終わった時点で気が変わった。

会場であるセンターには、「オープンハウス」の表示はあるものの、それほどひとの出入りがあるようには見えなかった。民間企業の展示会のようなものを想像していたら、だいぶ趣が違った。

なかに入ると、受付はずいぶんと広いスペースがとってあって、研究所の職員たちが何人か座っている。静まりかえった館内は部外者おことわりといった雰囲気だ。

招待状をもってなかったので、正直に知り合いの学生が発表に携わっていると話すと、名刺と記帳で通してくれた。会場である二階にあがると、どうやら講演の最中らしく、みな講堂に集まっていて、それで静かになっているらしい。

いきなりきて、遼に会えるあてがあるわけでもないのに、我ながら馬鹿なことをしていると嘆息した。補助金を受けたさまざまな研究内容が記されているポスターが展示されている会場には、それなりに人が集まっていた。しかし、やはり講演が行われているあいだは、人の流れもこないのだろう。

ポスターを前にして、研究者があれこれと来場者に説明している姿が見える。オープンと名前についていても、完全にその分野を学んでいる専門家の集まりだった。

疎外感を覚えながら、見るともなしに室内を回っていると、ふいに背後から声をかけられた。

「ご説明しましょうか?」

振り返ると、遼がおかしそうに立っていた。シャツに黒のジャケット、ジーンズというラフな格好だ。

「あなた、目立ちすぎです。もう少し興味のある振りして、歩き回ってください」

たしかに他の来場者は、ポスターの前に立っている研究者の説明を聞いたり、カフェコーナーで知り合いに挨拶《あいさつ》をしたり、専門分野の議論を交わしている。ひとが少ないだけに、英之のようにいかにも門外漢がふらふらしていると目立つのだろう。

「きみが手伝うプレゼンは？　プロジェクターの操作したりするんだろ？」

「研究発表、今日は二日目なんですよ。僕が手伝ったのは、昨日終わりました」

あれほど会場にくるなといやがっていたのに、妙ににこやかだと思ったら、手伝う様子を見られなくて安堵しているためらしい。

「……なんだ」

「ほんとにそれを見たくて、きたんですか？　プレゼンの時間も調べてないのに？」

「いや――偶然だけど、近くまできたから。見られればいいなと思ってたけど」

「残念でしたね。あまり一般向けとはいえないから、退屈じゃないですか」

「遼が勉強してるのはどんなものだろうと思って、その興味もあったからさ」

遼は面食らったように瞬《まばた》きをくりかえす。

「そんなものに興味あるんですか」

「あるよ。当然だろ。知りたいに決まってる。きみは謎が多いからな」

「――謎？　僕は、英之さんの前ではいつも丸裸にされてるような気がするけどな」

遼は意外そうにぼそりと呟く。それは裸にはしているかもしれないけど意味が違う――と下世話なことを頭のなかで考える。自分で思い当たったのか、遼が睨みつけてきた。

「そういう意味じゃない」

「――俺はなにもいってないけど？」

ふたりで関係のない話を続けられる場所でもなかっ

たので、とりあえず目の前にあったポスターを見る。すごく興味があるとはいいがたかったが、遼が説明してくれるのでおとなしく聞き入った。

自分が知りたい、と好奇心を示したからか、遼は随《ずい》分《ぶん》と機嫌よくあれこれと話した。研究室の先生の研究テーマである『ユビキタス社会云々』についても説明してくれた。『コンピュータがあたりまえのように存在する社会では、知識の垣根がなくなる。垣根がないということは、防御もできないということなので、悪意のあるウィルスの攻撃や誤情報などのカオスを生むけれども、情報の社会も進化すれば、人間のからだがそうであるように自然に免疫力をつけていくことが可能だ、すべての情報をひとびとが共有するためのいまは過渡期であって……』――などなど。

「……それで、神は遍在する？　情報が平等に行き渡るからか」

「可能性が広がるからです。僕みたいなのが、くだらない映像を撮っても、ネットにアップすれば、誰かに見てもらえる」

情報の発信という観点からも、映像オタクにとって興味のあるところらしい。なるほど――と思いながら聞いていて、ふとひっかかることがあった。

「遼は――誰かに見てほしくて、撮ってるの？」

「そりゃ当然。いいませんでしたっけ？　僕は自意識の塊《かたまり》だって」

そうだろう。露悪的なものいいはともかく、聞くまでもないことだ。自分だってそうだった。しかし、あの三橋のフィルムコンテストに送ってきた映像は――？

父親が撮ったものとそっくりのモノクロ映像。再会のきっかけになった映像のことをすっかり忘れていた。女優が帰ってしまったというアクシデントがあったとはいえ、どうしてあんなものを撮ったのだろう。普段は自分が映るのはいやがるという話なのに。

「遼……」

あの映像は――？

きみは父親と映っているフィルムを覚えているのか。どうして同じような場面を自分で出演して撮った？

「なんですか？」

「いや……」

いまはそのことにふれるときではないように思えて、英之は口をつぐんだ。遼と父親の関係性が自分の予測しているとおりのものなら、なぜわざわざ父親と同じような映像を撮ろうとするのだろう。普通なら、思い出したくもない相手だろうに。過去のことを乗り越えているから、あえて？

いや――それも不自然だ。すでに笹塚眞一《しんいち》は死んでいる。

しかし、あんなにそっくりの映像を誰に見てほしいというのか。

その相手はひとりしかいないように思えた。十数年前のモノクロのフィルムのなかで微笑んでいた男――。

遼の心のなかでは、父親はまだ死んでいないのか。

笹塚親子を撮影したフィルムが見つかったと父から連絡があったのは、それからまもなくのことだった。

実家を訪れると、父は8ミリフィルムと、テレシネしたＤＶＤを両方用意してくれていた。その場で見てみるかという父の言葉には頷けなかった。見たのはだいぶ昔だから、英之のなかでもあの映像はおぼろげだ。自分の頭のなかでイメージ修正されている恐れもある。もしかしたら、記憶しているほど美しいものではないかもしれない。

あらためて遼の父親である笹塚眞一の顔を見るのが怖かった。遼が必死に閉じたままにしている箱を開けてしまうようで……。

「なんだ、見ないのか？　見たがってたんだろ？」

「遼に――見せようかと思ってたんだけど、少し考えることにした」

父は「そうか」と複雑な表情を見せて納得したようだった。

「遼くんに会ったのか？」

「……いまはよく会ってるよ。弟ができたみたいな感じで……一緒にメシ食ったり、遊んだり」

わずかに後ろめたい気がしたが、心配していたほどではなかった。いますぐに告げる気もないし、もしかしたら一生告げないかもしれないが、父に遼とのことを知られても怯《ひる》むつもりはなかった。

理解してもらえたらうれしいが、そうでなくても仕方ない。自分だって、父に対してはずっとそういう態度をとり続けていた。時間がかかるものだし、理解できないこともある。ある意味、いいタイミングで親離れさせてもらっているのかもしれない。

「遼くん、元気か？　どんな感じになってる？」

「子どもの頃の女の子みたいにかわいかった感じとは、若干イメージが違うかな。でも、映研で楽しくやってるみたいだよ」

「そうか……」

父はほっとしたように目を細めた。親類でもない子どもを一カ月とはいえ、預かっていたのだ。父にもそれなりの想いがあるのだろう。

「父さんはずっと遼の家と交流があったのか。俺にわざといわなかった？」

「いや。遼くんのお母さん……笹塚の奥さんとは連絡が途絶えてたんだ。元奥さんだな。彼女が再婚したんだよ。彼女にしっかりとした頼れる男ができたのに、昔の旦那《だんな》の友達がいつまでもその家庭に関わってちゃ、うまくいくものもいかなくなるだろう。だから、あの子のことは気になってたけど……向こうの家庭でちゃんとやってくれてるものと思ってたから」

母親は再婚したのか。しっかりした家庭を築いたなら、遼が親友の相沢《あいざわ》にも家の話はいっさいしていないことが気になった。

「たった一カ月だけど、おまえも遼くんとは仲良くしてたんだろう？　一人っ子だから、小さな子の面倒なんて見られないかと思ってたら……ちゃんとお兄ちゃんしててくれたみたいでうれしかったよ。あのとき、遼くんは大人の前ではほとんど口をきかなかったから……母親に連れられて家を出るときに、おまえにお別れをいえないことだけが心残りみたいだった。『英之さんに渡してください』っていきなりしっかりしゃべっておまえへの手紙を渡されたときには、母さんとふたりで驚いてな」

ありがとう、と何度も書かれた手紙を思い出す。その前夜に抱いて眠った体温。なにもしてやれなかったと後悔するのもつらいので、心の底にしまいこんでいた記憶。

「――父さん、遼の父親の笹塚さんて、どういうひとだった？」

「……いいやつだったよ」

昔と同じく、父は笹塚眞一についてはあまり語りたくないようだった。ふれるのが怖いのだろうか？　いや、違う。語るのがつらいのだ。笹塚が家を訪ねてきた夜、「そんなやつじゃなかっただろう」――と叫んだ父の悲痛な声が耳に甦ってきた。

「――遼は、父親に殴られてた？」

父ははっとしたように英之を見た。ここで確認することは、その事実を必死に否定していた遼を裏切る気がして、たずねる声がわずかにうわずった。

「あの子のからだに痣《あざ》がいくつもあった。でも『お父さんはそんなことしない』って。『僕のお父さんなんだから』って……昔、そういわれて、俺はそれ以上なにも訊けなかった」

父は「そうか」と呟き、痛々しいものから目をそむけるように下を向いた。

「遼くんは、周りの大人たちにもそういってたよ。『お父さんを悪くいわないでくれ』って。でも、悪くいわないわけがない。みんなして、『お父さんが悪い、駄目だ、離れろ』って、あの子のためを思っていいきかせたんだ。そしたら――あの子は口をきかなくなった」

遼の幼い頃の笑顔が脳裏に浮かんでは消える。

「……笹塚は頭のいいやつで、なにをやらせても人並み以上にできた。器用で、映像を撮らせてもコンテストで入賞するし、絵もうまかったし、文才もあった。新聞社に入社して記者として働いてたんだが、忙しくてすれ違いが続いて、奥さんとはほどなく別居した。遼くんが八歳ぐらいの頃かな。ふつうだったら、小さい子は母親が引き取るんだが、笹塚が手放さなかったんだ。それが別居の条件だった。当時、奥さんはちょうど自分の母親が寝たきりになってて、その介護もあったから、子どもを手放すことに同意したんだ。お母さんと離れることは悲しがってたけど、遼くんはもともとお父さん子だったからね。最初はそれなりにうまくいってたんだ」

母親が置いていったわけではなく、父親が望んで手元に置いたと聞いて少し意外だった。では、どうして遼のからだが痣だらけになるようなことになったのか。

「父親は……遼を可愛がってた？」

「溺愛してたよ。目に入れても痛くないほど可愛がってた。子どもというよりも、自分の分身みたいに思ってたんだな。遼くんは奥さんよりも笹塚似なんだよ。だから、よけいになんだろうな」

「だったら、どうして──遼に……」

父は迷ったように言葉をつぐんだ。深いためいきをつく。

「遼くんのいうとおりなんだ。『お父さんはそんなことしない』って──たしかに笹塚はそういうことをするやつじゃないんだ。酒さえ飲まなきゃな」

「……………」

「どうしても酒が断てなかったんだな。見ててつらかったよ。病気なんだ。ああなったら、どうしてやることもできない。本人にも、どうにもできない。だけど、結局、自分でどうにかするしかないんだよ」

父の重い声は、笹塚が重度のアルコール依存症だったことを示していた。

「——最期まで?」

「そう。断酒しても、また破って——そのくりかえしだな」

それ以上は語るのも苦痛のようだった。父は遠い記憶を辿るように目を細めた。

笹塚が酒に溺れたきっかけは、仕事のことだった。当時目をかけてくれていた上司が金銭がらみの不祥事を起こした。取材を通じてつきあいのあった暴力団の幹部にミイラ取りがミイラになるようにして取り込まれていたのだ。笹塚は潔白だったにもかかわらず、社内の政治的な争いもあり、粛清人事《しゅくせいじんじ》で閑職に追いやられた。いったんそうなってしまうと、どんなに仕事ができる人間であろうと社内で浮かび上がることはない。新聞社を辞めればよかったのだが、その前に酒に溺れてしまった。上司の件が発覚する前から、仕事のストレスのせいで酒量が増えるばかりで、すでに依存していた状態だった。結局、最後は別居中の遼の母親とも離婚し、肝臓を悪くして亡くなったという。

「……俺は、葬式に行ったんだが、まあ淋しい最期だったんで、おまえにはいわなかったな。母さんにも詳しいことは話さなかった。遼くんがショックを受けて大変だったらしいって聞いたんでな。『僕はお父さんと一緒に死ぬはずだったのに』って」

かつて懸命に父親を庇っていた遼の顔が思い出される。「僕は間違ってないよね?」と同意を求めるような必死な表情を甦らせると、胸が痛かった。

「——いまは元気だって聞いて、ほんとに安心したよ。遼くんのことは気になってたんだ」

父はいくばくか気が楽になったように微笑んでから、再び考え込む顔つきになり、眉をひそめた。その視線は、笹塚親子が映っている8ミリのフィルムに向けられる。

「あんなふうに笹塚に可愛がられて……その同じ相手に傷つけられた子どもは、いったいどうなるんだろうって。……俺も、おまえや母さんにいろいろ迷惑かけたけどな。その最中は自分ではなにもわからないもんだからな」

　金曜の夜、三橋が珍しく部屋を訪ねてきた。招かれざる客に、英之は思わず顔をしかめる。

「なんだよ、いやそうな顔をするなよ。すぐ帰るよ。帰り道のついでだから、ちょっと寄っただけ。電話でもよかったんだけどさ」

　そうはいっても玄関先ですむわけもなく、室内に「どうぞ」と招き入れる。

　三橋は「ほんとにすぐ帰る、帰る」といいながらソファにどっかりと座り込んだ。英之はちらりと時計を見る。遼がそろそろくるかもしれない時間だったからだ。

「なあ、今日、誰に会ったと思う？　偶然、ばったりとさ」

「誰？」

「――沙世ちゃんだよ。いやあ、びっくりした。ちょうど打ち合わせで出てたらさ、向こうから声をかけてくれて」

　英之が二年前までつきあっていた彼女だった。

「おまえと別れてから、次につきあった男と結婚したって話だったじゃないか。だけどさ、今日会ったら、指輪をしてなかったわけ」

　英之はさすがに「え」と驚く。三橋は得意げに告げた。

「別れたんだってさ。びっくりしたよ。『きみもか』って思わずいっちゃったよ。いや、俺の周りで、最近離婚したやつ、多くてさ」

「……そうですか」

　もう吹っきれているが、幸せになっているとばかり思っていたので、その情報には少なからず動揺した。一年たらずで別れたということか。

「おまえのこと、『どうしてますか』って聞いてきたからさ。『まあ、元気そうだよ』って答えておいた。

『きみと別れてから、彼女いないみたいだよ』とか、よけいなことはいわないでおいたけどさ。彼女、いまは新しい仕事はじめて頑張ってるみたいだから」

別れたときのことを思い出す。長年つきあった彼女だったのに、ほかの男と親しくしているのを知って、信じられなくなった。父の浮気に悩まされた母を見ていたからかもしれない。「相談してただけで、なんでもない」という彼女のいいぶんを自分が信じれば、関係は続いていたはずだ。

仕事にかまけるあまり、最初に放っておいたのは英之なのに、彼女を許せる強さがなかった。

「……おまえ、まだ沙世ちゃんのこと好きだったわけじゃないのか?」

英之がなんの反応もせずに黙り込んでいるので、三橋は拍子抜《ひょうしぬ》けしたらしかった。

「なんだよ。誰か相手ができたのか。俺はまだてっきり引きずっているのかと……」

「いや」

英之は苦笑した。三橋としては、沙世のことを伝えれば自分が喜ぶと思ったのだろう。

「引きずってたのかもしれないけど……彼女に、ってわけじゃないんだ。ただ、誰かとつきあっても、また同じことになるかもしれないと警戒してただけなんですよ。俺に弱いところがあったから。だけど、いまは……」

遼のことをいうべきだろうか、と口を開きかけたときだった。三橋が「あれ?」と玄関のほうを向いた。リビングと玄関をつなぐドアは開け放されている。ガチャガチャと鍵を開ける音が聞こえてきたからだ。

「誰かきた?」

誰かといっても、鍵を渡している人物はひとりしかいない。最近は用事がなくてもくるようになっているので、インターホンも鳴らさなくなっていた。

ほどなくドアが開いて、遼が玄関に入ってくる。英之のものではない靴《くつ》があるのを見て、すぐ来客に気づいたようだった。

遼は玄関をあがって、「こんばんは」と部屋のなかに入ってくる。三橋の姿を見ても、動じた様子はなかった。本心からそうなのか、表面上冷静を装っているのか、わからなかった。対して三橋は目を丸くした。

「……笹塚か」

いかにも合鍵を使って、勝手知ったる様子で部屋に入ってくる相手が遼だと知れば、当然の反応かもしれなかった。

「三橋さん。いらしてたんですか」

「おお、なんだ、おまえ、水原んとこに入り浸ってるのか？」

「まあ、そんなところです」

三橋はどうして鍵をもってるんだ、と詮索《せんさく》するようなことはいっさいいわなかった。子どもの頃から知っている仲だとわかっているから、兄弟のような関係だとでも解釈してくれているのか。しかし、いくら仲良くても、男同士で鍵を渡しているところに引っかからないわけがない。


それが証拠に、三橋はにこやかに遼と話しながらも、少したつと時計を見て、「ちょっと寄っただけだから。用事があるんで失礼するよ」と早々に腰を上げた。

説明したほうがいいのだろうか、と玄関まで見送りに出ながら考えたが、短い時間に話せることでもなかった。靴を履《は》いてから、三橋が含みのある笑いを見せる。

「まあ……あれだ。今度ゆっくりな」

驚いているようだが、理解しようとつとめているふうだった。

「……すいません」

「なんで謝るんだよ」

「いや。俺のことを気にしててくれたみたいだから」

「そうだよ。沙世ちゃんによけいなこといわなくて、正解だったたな」

三橋は「おせっかいするところで、危なかった」とおどけて帰っていった。

気づいてて、知らん振りされるのでもかまわなかったが、三橋がそうではないことがありがたかった。英之はひとにあまり相談しないたちだが、なにかあったときに話ができる相手がいると思うと心強い。

リビングに戻ると、遼が気遣わしげに英之を見ていた。もともと感情が面にでにくいが、目が途方に暮れているのがわかる。

「どうした?」

ソファに座っている遼を背後から腕を回して抱きしめる。

「……いいわけしなくていいんですか」

「なにが」

「三橋さん。僕とのこと、疑ってましたよ」

遼はほとんど表情を動かさないから平気なのかと思っていたが、やはり気にしていたらしい。

対して、英之はわずかに気まずい思いはあるものの、知られてもかまわなかった。却って、三橋の反応に理解があったせいで、気持ちが晴れやかになったくらいだ。

はっきりしたのは、自分が以前の彼女にはもう想いを引きずっていないこと。離婚したと聞いて、心配にはなったけれども、もうどうにかできることでもない。いま、誰よりも惹かれているのは、目の前にいる青年だということ。大切にしたい――そう考えていること。

「疑うもなにも事実だろ。いいわけできない」

耳もとに軽くキスしながら告げると、遼はちらりと硬い表情で睨みつけてきたあと、「……まったく」とあきれたように破顔した。


足のあいだに顔を埋めようとすると、遼は「いいから」といいたげに英之の髪の毛をつかんで頭を引き剝がそうとする。

いつも口でしても、積極的にうれしそうなそぶりを見せないものの、駄目だといわれたことはない。ひょっとして今日は気がのらないのだろうか、と思いながら後ろをさぐると、それは拒まなかった。

　ローションで慣らしているあいだ、遼はいつもと同じように硬い表情をしていた。頬が紅潮してきて、息が徐々に乱れてくるから感じているとわかる。その耐えているような顔を見ていると、ついもっといろいろといじって、反応を見たくなってしまう。

「も……いい」

　しつこく胸を舐めながら後ろをいじっていると、遼は英之の肩を押しのける。いやがっているというよりは、先ほどから早く――と急かされている気がして、英之は遼の足を開いて抱えあげた。

「――あ」

　挿入したときに、遼がことさら眉をひそめてみせたので、「平気？」と顔を覗き込む。

　遼は頷いて目を伏せる。英之がさらに腰を入れると、「ん」と唇を嚙み締めたものの、やがてその唇が動きに合わせるようにゆるんで心地良さそうな息を吐く。

「……大丈夫？」

　遼はなにも答えずに英之を見上げて、すぐに目を閉じる。揺らされるリズムに合わせて、再び吐息が洩れた。目許がほんのりとピンクに染まっているさまが妙にそそって、激しく突き上げると、びっくりしたように潤んだ瞳で睨みつけてくる。

　それでも止めることはできなくて荒々しく動くと、遼の目許は再び蕩《と》けるようにぼんやりとした。

　誘うように唇が開いたので、よりいっそう深くつながるためにからだを折り曲げながらキスをする。

　その夜はいつもと違って、こらえきれずに洩れるかすかな息が、英之にちらりと向けられる視線が湿った熱と心地良さを伝えてくるようだった。キスをしても、「もっと」とねだられているようで、離したくなくなってしまう。

　普段は「もういい」とばかりに腕から逃げていくの

に、終わったあとも抱きしめられたまま、じっとしている。

理由を聞くと、普段の態度に戻ってしまう気がして、英之はなにもいわずに腕のなかにいる遼を抱きしめた。それでも余韻に浸りきってるように動かない。

これ幸いとばかりに顔をあげさせて、唇にキスをしたり、耳朶を軽く噛んだりする。遼はくすぐったそうに顔をしかめながらも、「いやだ」とはいわなかった。

「――さっき、かわいかった」

思わず囁くと、遼はようやくすっと醒めた目を見せて起き上がった。

「本気でいってるんですか、こんな二十歳《はたち》超えた男に」

「俺よりはかわいいから、いいんじゃないか」

「僕にはあなたのほうがかわいく見える」

冗談ではなく、真面目な顔でいわれて、英之は返答に困った。

「俺はかわいいっていわれたことないけどな」

「僕なんかを相手にするところが……英之さんがどうしてこんな平べったい男のからだに興奮してくれるのかがわからない。理解不能です」

「俺のことというなら、きみは？」

セックスのときは遼もちゃんと反応している。自分だけが理解不能といわれるのは納得いかなかった。

「僕はおかしいから、いいんですよ。子どもの頃、英之さんともっと仲良くしたかったんです。いまはその答えをもらってるところだから」

「子どもの頃のことは、関係ないだろ。いくらなんでも、俺はあのとき、きみに妙な気持ちは抱かなかった」

「……でも、僕はおそらく抱いたんです。たった一カ月のことなのに、あなたにやさしく話しかけてもらったり、映像を見せてもらったり、一緒にコンテを書いたことが忘れられなかった。僕はあなたに多大な影響を受けてる。そういうことです」

それは一言でいえば、「ずっとあなたが好きだった」ということだろう。告白されているはずなのに、少しも色っぽくないのが見事だった。しかも、遼がそれを決して告白だと認めないのは知っている。

「熱烈に好きだっていわれてる気分なんだけど？」

「……………」

遼はいつものようにすぐに否定せずに考え込むような顔を見せた。難しい問題を考えるような表情だ。

「僕はあなたに執着してるから、あなたに相手をしてもらえるとうれしいと思う。だから、なにをされてもいやじゃない。けど、ほかにもっと相応《ふさわ》しいひとを見つけたほうが、あなたのためだと思うから、積極的に行動するのは好まない。僕に関心がなくなったら、離れてくれてもいい。……これで意味、通じます？」

やはり盲目的に好きだといわれているとしか思えなかった。たしかに遼は英之がなにをしてもいやがらない。最初にキスしたときに逃げだしたことを指摘したら、不本意そうに「驚いただけです」といったのは、そのせいか。

「通じるけど、それを聞いてあきらめられるわけがないだろ？」

「理解したんでしょ？」

英之の表情が綻《ほころ》ぶのとは反対に、遼はうっとうしそうに眉間《みけん》に皺《しわ》を寄せた。

「俺が離れたら、きみはどうする？」

「べつに？　いままでだって、離れてた。もう一度会えると思ってなかったし……それでも、カメラをさわってれば、ずっとつながってるように思えたんです。これからも同じ。僕はなにも変わらない」

「ますますあきらめられない」

え、と驚く遼をもう一度布団のなかに引きずり込む。

「――自分はこんなに好きだから、もっと好きになれっていわれてるみたいだ」

キスされながら、遼は「そうか……」と途方に暮れたようだった。英之にか、それとも自分自身に対してか、あきれたようにしながらも唇がおかしそうに笑う。

少し前までは「恋愛は駄目だ」とにべもなくいわれていたのに、こうして自分の考えを告げてくれるようになっただけでもたいした進歩かもしれなかった。以前、ひとりで震えていた遼に対して、なにもしてやることができなかった。だが、いまなら自分はずっとそばにいることができる。

いとおしい気持ちがあふれてきて、英之は遼の頰をそっとなでる。眼差しからそれが伝わったのか、遼はどこかせつなげに目を細めた。性的に興奮しているときでさえどこかぎこちないのに、かなしそうな表情だけがとても自然に似合っていることにふと胸を突かれる。

「でも……僕は駄目です。……あなたは、わかってるはずだ」

なにをわかってるというのだろう。なにもわからない。だから、知りたいと願ってるのに——?

遼は英之の手をそっと押しのけて、「シャワーを浴びてきます」と再び身を起こした。英之も一緒に起き上がって、シャツを羽織る背中に問いかける。

「遼……きみはどうしてあの映像を撮ったんだ」

いつかはたずねようと思っていたが、なんの準備もなく、口からでてしまった。

「どの映像?」

「三橋さんが手がけてたサイトのフィルムコンテストに出した映像」

返答に一瞬間があいた。

「打ち上げのとき、英之さんは聞いてませんでしたっけ? あれは頼んでた女優さんが……」

「女優にやらせるのも、あの脚本だった? なんであの最初の部屋のシーンを撮った?」

遼の顔は明らかに動揺していた。

「……罰ゲームです。僕がいった一言で、役者が帰った。手伝ってくれてた連中に、『笹塚が出ろ』っていわれたんですよ。……これも説明したはずだ」

話したくない方向に流れているからか、声がかすかにこわばっていた。

「どうしてあの場面を？　どうせ自分が出演するなら、あれを撮ろうと思った？」

「なにを聞きたいのか……」

「きみは昔、自分と父親のフィルムを見たことがあるだろ。レコードプレーヤーがあるテーブルのそばで、音楽に合わせてきみは踊ってた。実際にはサイレントで音楽は聞こえてなかったけど。笹塚さんがそれをじっと見てて……」

「……じゃあ、そのフィルムを見た記憶がどこかに残ってて、影響を受けたんでしょう。よくあることだ。それがどうしたっていうんです」

「よく覚えてるだろ？　でなきゃ、あんなふうに撮れない。そっくりだった」

遼は茫然としたように目を見開く。

「……そんなによく似てましたか？」

そっくりだという事実に反応したのか、とりつくろうことも忘れてしまったようだった。しばしの沈黙のあと、遼は観念したようにしゃべりだした。


「フィルムは何本かあるんです。あんなふうにたった一場面なのに……父が何度も撮りなおしたっていってました。なんの意味があるのか知らないけど……。友達にどれだけ『親馬鹿だよ』ってからかわれたって。英之さんの家にあるものは、そのうちの一本なんでしょうね。僕が見せられたものとは違うバージョンです。父が満足して編集し終えた完成版のフィルムは、僕の家にあったはずだから」

初めて聞く事実だった。いわれてみれば、たしかにそうだ。父がカメラを回したとはいっていたが、父の作品ではないのだから、英之の家に残っていたこと自体が不思議なくらいなのだ。

「よく似てたよ。意識して、撮ったんだろう？」

「そうですか。僕は子どもの頃に見て……何回か見たはずなんだけど、よく思い出せないので。撮ったときのことも、おぼろげにしか記憶にないんです。そんなことがあったかな、ぐらいで」

フィルムに映っていたのは、五歳ぐらいだったから、覚えていなくても不自然ではなかった。しかし、その後フィルムを何度か見たなら……。

「……途中から父は8ミリをまったく撮らなくなってしまったので……あのフィルムも失われてしまった。だからちゃんと再現できてるのかどうかは、僕にはわからない」

最初はとぼけていたのに、あのフィルムを再現しようとして撮影したことを認めた。

昔のことは忘れたといって、英之と出会った当初のことさえあまりふれずに頑《かたく》なに口を閉ざしていた遼が、これほど素直に話すのは奇妙に思えた。却って不安を覚えて、どこまで引き出していいのだろうかと迷う。

「誰に見せたくて撮った?」

そう問いかけると、遼はぼんやりとした視線を向けてきた。どこか力の抜けきった表情だった。

「——僕はただ、なにが聞こえてくるのか、知りたかったんです」

サイレントの映像を再現して? 元のフィルムでも音声は録音されていない。最初からなにも聞こえない映像だ。それのなにを聞こうというのか。

察したのか、遼はうすい笑いを浮かべた。

「そうです。無駄なことです。なにも聞こえやしない。僕は意味のないことをしてる。だから、あなたに問い詰められても困る」

遼は硬い表情になると、いらだたしげな様子で髪をかきあげた。その張りつめたような横顔から再び力が抜ける。なにを見つめているのかわからない、父親のフィルムを再現したときのように、空虚な空間を見つめている瞳だった。

「……僕になにをいわせたいですか?」

平淡な声だったが、つとめてそうしているのがわかった。膝の上で握りしめた拳《こぶし》が細かく震えているのに気づいて、英之は「もういい」とその肩に手を伸ばした。

ふれた途端に、遼は「よくない……!」と声を荒らげてその手を振り払った。

「だって、あなたはそれが知りたいんでしょう。僕が忘れたっていっても、すまさない。あんなフィルムを撮って、おまえはなにを求めてるんだ、って問《と》い質《ただ》したいですか。父の撮ったものを真似したから、どうだっていうんです。影響を受けることはある。あなただって、父親の趣味だったから、最初にカメラを手にとったんでしょう。そこにそれ以上の意味を求めないでください。僕の行動や思考に、いまさら親は関係ない。どんな親だろうと……！」

いきなりの感情の爆発に、英之は目を瞠《みは》ったが、誰よりも遼自身が驚いているようだった。ハア、と荒い息を吐いてから、再び髪の毛をかきあげて、呼吸を整える。その表情がふいにゆがむ。一瞬、泣きそうに見えたが、彼は苦々しげに笑った。

「……ほら、こうなるから、いやなんです。僕をそんなにかわいそうっていいたいですか。やめてくださ い。いくつだと思ってるんですか。もう子どもじゃない」

「子ども扱いしてるわけじゃない」

「本人が訴えないのに、『大丈夫？　どこが痛いの？』って聞くのは、子どもに対する扱いですよ。具合が悪ければ、僕はちゃんと自分の症状ぐらい伝えることはできる」

子どもなら症状を伝えられなくても、泣いて意思表示することぐらいできるだろう。だけど、子どもの頃から泣いて訴えるどころか、口をきかなくなってしまう人間の場合は――？

「ほんとうに子どもだと思ってたら、いやがる話はしないよ」

「じゃあ、なにを話させたいんです。僕は忘れた。ほんとうに忘れたんです。……忘れたから、いま、こうしてあなたの目の前にいるんです。これ以上、僕を暴こうとしないでください」

遼は苦しげに息をついてうつむいた。やりきれないように唇をゆがませる。

「……だから、僕は駄目だっていったんです」

父親が亡くなったとき、遼がショックを受けて「お父さんと一緒に死ぬはずだったのに」といったという話を思い出した。

昔はあまりにも遼が痛々しくて、「お父さんが悪い」とはいえなかった。いまは成長しているからこそ、話ができると思ったのに。

だが、違った。まだ話などできる状態ではない。過去を乗り越えたから「忘れた」といっているわけではないのだ。生々しい傷を抱えたまま——本人はいまだに血が流れ続けていることも知らない。あるいは見て見ぬ振りをしている。

やはり昔となにも変わっていない。口をきかなかった頃と同じだ。かろうじて違うのは、昔と違って幾分芝居がうまくなったことだけ。

「遼……」

英之は遼の腕に再び手を伸ばした。今度ははねつけられなかった。遼は脱力したようによりかかってくる。

「どうして……」

いまにも消え入りそうな声で呟く。

「どうして僕はあなたにこんなことをいうんだろう。もっとうまくやれるはずだったんです。あなたに再会してから、僕の予定は狂いっぱなしだ。僕は……予測できないことは嫌いなんです」

「——知ってる」

「あなたにかまってもらってうれしかった。でも、僕が忘れたことにまで立ち入ってこられるのは苦しい。せっかく……僕なりに努力して、築いてきたものがあるんです。それを壊されるのはたまらない。僕はもう平気なんです。平気なはずなんだ」

英之はよりかかってくるからだを後ろから抱きしめて、その額にキスをする。遼は身じろぎひとつせず、人形のようにされるままになっていた。

表情は動かないのに、その目が潤んで、わずかに目じりに涙が滲む。

「苦しいなら、もうやめればいいのに……あなたの腕から逃げればいいのに、それもできない。たとえそばにいても、よけいなことをいわれたら、耳を素通りさせればいいのに……。でも、あなたの言葉だけはそれができない。僕はめちゃくちゃに感情を掻き乱される。無視できないのは、どうしてですか」

それはきみが俺を好きでいてくれるから、無視できないのだと——英之はそう思ったが、言葉にはしなかった。なにもいわずに遼を抱きしめる腕に力を込める。

再び顔を振り向かせて、キスをする。

遼はこわごわと応えたものの、まだなにか問い詰められるのではないかと警戒しているようだった。英之は安心させるように微笑みかけて、キスをくりかえす。遼はようやく安堵したような息を吐いた。

「ごめんな——遼」

謝罪に驚いたように、遼は目を見開く。

「昔、一緒に撮影計画立てたのに、撮れなかった。楽しみにしてたのにな」

「……もう、いいです。いまさらそんなこと」

「今度、一緒に撮ろうか。あのコンテ、ちゃんととってあるんだ。このあいだ、実家からさがしだしてきた」

まさか残ってるとは思わなかったのか、遼はうろたえた顔つきになった。

「遼が書いてくれたお別れの手紙も、とってある」

「……なんでそんなもの、とってあるんですか」

いささか決まりが悪そうに、遼はうつむいた。

大切だからだよ。心のなかで応えたけれども、声にはしなかった。

俺もきみと同じだ。きみだから無視できない。目の前で震えていれば抱きしめずにはいられない。苦しめたいわけじゃない。

ふたりはまったく同じ気持ちなのだと——どうしたらそれが伝わるのだろう。

うまい言葉がなにも浮かばない。もともとふたりの気持ちが伝わっていると感じたときには、言葉などなかった。

　シーツのスクリーンに映写した、ふたりきりの上映会を思い出す。あのときはなにも話さなくても、英之には遼の気持ちがわかった。音もなく、スクリーンの青白い光のなかで流れる時間のなかで、遼が「うれしい」とか「楽しい」と喜んでくれているのがじかに伝わってきた。

　いまもあのときと同じように彼の心の声が聞こえてきやしないだろうかと、英之は耳をすましながらうつむいたうなじにそっとくちづける。

音無き世界

第二部

1

目覚ましのベル音に起こされて、遼《りょう》はベッドから手を伸ばし、時計を叩き払うように止める。

うるさい音が鳴りやみ、室内は静まりかえったが、ガチャンと派手な音がしたので、今度こそあいつは壊れてしまったかもしれないと思う。

あいつ——というのは、使い古した目覚まし時計のことだ。

「……仕方ないな……」

暖房をつけていないので、布団から出るのが億劫《おっくう》になるほど二月の朝は肌寒い。

遼はしばらくもぞもぞしていたものの、ようやく覚悟を決めてロータイプのベッドから起きだすと、枕元から遠くへ吹っ飛ばされている時計を拾いに行く。手にとり、秒針がちゃんと動いているのを確認する。

古い目覚まし時計は真鍮《しんちゅう》のように鈍い光のボディカラーや、低い響きのベル音が気に入っていた。買い換えようと思ったこともあるが、どれも音が大きすぎたり、響きがいまいちで、これに勝るものに出会ったことがない。子どもの頃から家にあって、小学校に上がるときに父から「自分で起きろよ」と渡された年代ものだ。まったく丈夫なやつだと感心しながら、遼は目覚まし時計を定位置に置いた。

ベッドの周辺には物が積まれ、一見ものぐさで散らかっているように見えるが、実際は使う頻度の高いものを効率よく配置しているだけだった。

遼はぼさぼさの髪の毛をかきあげながらキッチンに行き、ケトルに水を入れて火にかけた。突っ立ったまま、ケトルをじっと見つめてお湯が沸くのを待つ。こうしてぼんやりとしながら黙っているとき、ひとにはよく「なに考えてるんですか」と興味深げに問われるが、実際はなにも考えていないことが多い。映研で気心の知れた人間には「無駄に整ってる顔」と評される容貌は、遼にとっては意味のないものだが、見ている側にとっては存在するだけでなにも語らずとも意味を生むものらしい。

　今日はなにをするんだっけ……と鈍い頭を無理やり回転させる。お湯が沸いて、ケトルがピーッと鳴る音にはっと瞬《まばた》きをくりかえす。まだ半分目を閉じているような状態でコーヒーを淹《い》れて、ベッドに戻った。

　ラスクの入っている袋を手にとって中身を開ける。甘い菓子を齧って、コーヒーを飲んでいるうちに、頭のなかの靄《もや》が少しずつ晴れてきた。窓のカーテンを開けると、晴れやかとはいえない、薄い日が差してきた。

　卒論の諮問《しもん》も終わった。もうすぐ卒業とはいえ、遼は進学することが決まっているから、春からも院生として同じ研究室に所属することになるだけだ。たいした変化はない。

　パソコンのメールをチェックすると、相沢憲一《あいざわけんいち》から旅行の計画表がきていた。自分が変わらなくても、周囲には変化がある。大学に入ってから映研でずっと親しくしていた相沢は四月から就職する。その相沢と、同じく映研で四年の溝口《みぞぐち》という男と三人で卒業旅行にいくことになっていた。

　行き先の候補は、費用の問題から東南アジアに絞られていた。遼はタイの寺院を見てみたいと思ったが、相沢と溝口はカンボジアを推していた。多数決で負けてしまうのは必至だったので、「タイには死体博物館がある」と興味をそそりそうなものを提案してみたが、ふたりにはよけいに敬遠される原因となったらしい。

　仕方ない、カンボジアか――とあきらめていたのだが、添付されてきた計画表を見ると、行き先がタイになっていた。いったいいつのまに話が変わったのか。

『カンボジアじゃないのか？』

　メールの返事で問うと、ちょうど相沢もパソコンに向かっていたらしく、携帯が鳴った。

「これから朝メシ買いに行くから、帰りにおまえのところに寄る」という。

相沢の部屋は、遼のアパートの近所だった。電話から約十五分後に、コンビニの袋を片手に相沢は現れた。部屋に入ってくるなり、ベッドのそばの床に置かれたラスクを見て顔をしかめる。

「また同じもの食ってるのか。いつまで続くんだ」

「今回は長い」

ラスクの味が気に入ってるからだが、なかなか減らないせいもあった。近頃は英之《ひでゆき》の部屋に泊まることが多く、さすがにそのときはラスクを持参するわけにもいかない。英之が簡単ながらもきちんと朝食を用意するので、遼も同じものを食べている。頑《かたく》なに朝は甘いもの、といったスタイルも崩れつつあるのだ。

相沢はうんざりした様子で腰を下ろして、コンビニの袋の中身を開け、「飲め」と野菜ジュースのパックを差しだす。精悍《せいかん》な男前だが、小姑《こじゅうと》みたいなところがある。

野菜ジュースは匂いが鼻につくのであまり好きではなかったが、「サンキュ」といって受け取った。

以前、英之に「相沢くんはいつも遼の面倒みてるのか」と聞かれたことがあった。「保護者みたいな友達だな」と。たしかに周囲からはそんなふうに見えるかもしれないが、ふたりきりになると、相沢はけっこう邪険な態度をとる。遼自身がそうさせているところが多分にあるが。

「――理由は？」

野菜ジュースをストローですすりながらたずねると、相沢はおにぎりを頬張りながら「なにが」ときょとんとする。

「旅行。タイに変更になった理由」

「ああ……溝口がタイでいいっていったからさ」

「なんで気を変えたんだ」

「いっとくけど、タイに行っても、死体博物館は行かないぞ」

そんなもの、自分だってほんとうは見に行きたくは

ない。

「理由がわからないと、気持ち悪いだろ」

「旅行の日程がさ……偶然、バイト先の女の子と同じなんだって。その子らもタイに行くっていうから、現地で会おうよ、って盛り上がったらしい。——おい、やめろよ？」

野菜ジュースの口直しにコーヒーをもう一杯淹れてこようと立ち上がった途端、相沢が遼の腕をつかんだ。

「なにが」

「溝口に電話するつもりじゃないのか。『そんな理由で変更なのか。くだらねえな』って」

「……いや。コーヒー淹れに行くだけ」

相沢は「あ、そう」と拍子抜《ひょうしぬ》けしたように遼の腕を放した。

コーヒーを淹れて戻ってきた遼は、相沢の背後に立つ。理屈に合わないことをいわれた気がしたからだ。不穏な気配を感じて、相沢が「なんだよ」と身構える。

「なんで僕が溝口にそんな非道なことをいうと思うんだ。タイは僕の希望だったのに」

「だって……おまえはおとなしく納得してそうなときに限って、なんかチクリといいそうだろ？　前に撮影で女優を怒らせたときも、いつになく愛想よく爽やかに笑ってたかと思ったら、いきなりブチ切れたろ」

「あれは我慢に我慢を重ねてたら、相乗効果で予想外に爽やかになったんだ。狙ってやったんじゃない」

「まあ、みんなも頭にきてたからいいけど。ボソリという言葉がきついんだよ。『どこから抜いてきた大根だ』とか」

「そんなこといってないだろ。演技が下手ですね、とはいったけど」

「いや、その後にボソボソといってただろ。聞こえてたよ」

記憶を辿る。「じゃあ、もう一度お願いします」と演技の指示をだしたあとで、そんな台詞《せりふ》を頭のなかで呟いた気がする。

「――心の声だな」

「ダダ漏れさせせんなよ」

相沢は「……ったく」と吐き捨てながらも、おかしそうに笑った。遼はベッドに腰掛けながら、苦いコーヒーに顔をしかめる。

卒業と同時に、相沢はアパートも通勤が便利なところに引っ越す。こうして朝食を買った帰りに部屋に遊びにくるということもなくなる。

「もういわないよ。……おまえもいなくなるし。誰もフォローしてくれなくなるからな」

相沢は笑うのをやめると、「そうだな」と呟くように答えて、再びおにぎりを食べはじめた。

一番親しい友人だが、相沢とは一時期、複雑な関係になったことがある。

二年の頃、映研で撮った映画がコンテストに入賞したことがあって、その授賞式に出た際、遼はプロデューサーを名乗るひとりの映画関係者から名刺をもらった。誘われるままに食事に行き、いろいろと業界のことを話してくれて面白いひとだと思っていたら、ホテルに誘われた。当然、丁重におことわりしたが、飲み会で映研の仲間に「あのプロデューサーさん、どうしたの？」とたずねられたとき、笑い話になるだろうと思って正直にことの顛末《てんまつ》を話した。案の定、みんなは笑ったが、相沢だけは笑わなかった。

その頃から様子が変になって、相沢の視線に妙な熱がこもるようになった。しばらくしたら、「ゲイじゃないはずだけど、おまえが気になる」と告白された。

いままで恋愛したことはないし、これからも誰ともつきあう気がない、と答えると、相沢は「忘れてくれ」といった。一番親しかったからこそ、遼の欠けている部分を察していたのかもしれない。

その後、「役者をやってみないか」と別口から声をかけられた。いきなりホテルには誘われなかったが、役者としての遼の才能を見いだしたというより、あきらかに興味は別のところにあった。その男は何度か映研の撮影現場を訪れては遼に声をかけていたので、サークルの仲間たちのあいだでは「またか」という雰囲気が漂うようになった。二度目ともなると、笑うに笑えない。そうなると、反対に相沢だけが冗談を飛ばして、遼を庇ってくれるようになった。

相沢が遼のことをそういう対象として考えるのを完全にやめたのかどうかはわからなかった。いいやつだとわかっているのに、応《こた》えられない。それはかなりのストレスだった。

去年の春に、相沢に彼女ができるまでは微妙な距離感が続いた。相沢から妹の友達とつきあうことになったと紹介されたときには、心の底から祝福したものだ。とてもかわいらしい彼女で、相沢にはお似合いだった。

「じゃあな、帰るわ」

相沢は朝食を食べ終えると、すぐに腰を上げた。急ぐ理由を聞くと、今日は彼女と新しい部屋をさがしに行く約束をしているのだという。

同棲《どうせい》するのかとたずねたら、「そうだ」と即答された。

「幸せそうでなによりだな」

「――ああ」

玄関を出ていく際、相沢は表情をわずかに崩した。

「じゃあな」という声に応えて、遼は「おう」と軽く手をあげてみせる。

ドアを開けたときに外気が入り込んだせいか、部屋のなかを冷たい風が通り抜けていった。その風が、大切ななにかを持ち去っていったような気がする。初めから自分のものではなかったかもしれないのに、つかみそこねたものの感触は手のひらにリアルに残っていて、遼は相沢が去ったあとの玄関のドアをじっと見つめていた。

合鍵を使って部屋に入ると、英之は留守にしていた。夕方の五時を過ぎている。この時間にいないのならば、夕飯も外で食べてくるかもしれない。

遼はためいきをつきながらリビングのソファに寝転がった。英之の二ＬＤＫの部屋はいつも綺麗に片付けられている。居心地のいい住居だ。

鍵をもらったばかりの頃は、英之が留守のときを狙って部屋を訪ねてきた。どうしてあんなことをしていたのか。

英之を前にすると緊張するところがあったからかもしれない。子どもの頃に一緒に過ごしたのはたった一カ月。それから十年以上たって再会したのだから、大人になった英之に慣れるまで時間がかかった。少しでもそばにいたいと考えて、主の留守の部屋に忍び込むような真似をしていたが、かなり効率の悪い行動だった。「俺がいないほうがいい?」と英之にからかわれたくらいだから、近づきたいという意思表示にはほど遠い。

ソファには英之が着替えたらしいシャツがだしっぱなしになっていた。きちんとしている英之にしては珍しい。本人は「部屋が仕事場だからだよ」というが、家のなかでも彼がだらしない格好をしているのを見たことがない。子どもの頃にも感じたが、清潔で整理整頓された部屋で暮らすのがあたりまえの感覚で育っているのだろう。シャツを枕代わりにしながら、その匂いに鼻を埋《うず》める。

去年の秋に再会してから、遼の頭の一部はつねに英之のことで占められている。その領域は日ごとに増殖していく。どうにかして距離をとらなければ――と考えながらも、どうにもできないままに時間が過ぎていく。

相沢が彼女と一緒に暮らすといったとき、取り残されるような淋しさを覚えた。もしも、英之に同じようなことを告げられたら、冷たい風が心の隙間を通り抜けていくように感じるだけではすませられない。だからこそ一刻も早く離れなくてはならないのに、よけいに顔が見たくなって、こうして訪ねてきてしまうのはなぜだろう。

答えのわからない問題を頭のなかでいじくりまわしているうちに、英之のシャツの匂いに抱かれるようにして眠りに落ちた。ゆらゆらと漂う心地よい眠りのなかで、子どもの頃の夢を見た。英之が自分に見せようとして、映写機を部屋に運び入れてくれたときの……。

「――遼?」

部屋の灯《あ》かりの眩しさと呼びかける声に目を覚ますと、英之が身をかがめて顔を覗き込んでいた。

「起きた?」

窓の外はすでに真っ暗になっているようだった。英之は外出から帰ってきたばかりらしく、カーテンを閉めにいく。

「いつきたんだ?　夕飯は?」

蛍光灯の明るさに目をしばたかせながら、遼は身を起こした。シャツを抱きしめていたことに気まずさを覚えたが、指摘はされなかった。時計を見ると、十二時を過ぎていた。七時間以上熟睡していたのだ。

「……寝てて、食べてません」

「なにか作ろうか。それともファミレスでよかったら、食べにいく?」

マンションの通りの向こうには二十四時間営業のファミリーレストランがある。空腹かとたずねられると、判断がつかなかった。遼は口許《くちもと》に手をやりながらしばらく考え込む。

「いや……いい。タイミングを逃したから」

「そんなのにタイミングがあるのか」

英之がソファの隣に腰掛けて、「どれどれ」と遼の腹に手を押し当てた途端、計ったようにグウと空腹を訴える音が鳴った。

遼は眉をひそめながらぼそりと呟く。

「――慎みのない腹だ」

「お腹は食べたいってさ」

英之はおかしそうに笑うと、「行こう」と遼をうながした。遼は渋々立ち上がって、英之の隣に並んで歩きだす。ふわりと甘い匂いが鼻をかすめた。

「……仕事相手のひとと、食事でもしてきました？」

「ああ、打ち合わせで――」

「女性ですよね」

英之は「そうだけど？」と驚いたような顔を見せる。

「よくわかったな」

「鼻がいいので」

英之は「ああ」と移り香に気づいたらしく、自分の腕に鼻を近づけながら「匂いなんてしないけどな」と訝る。

遼はそれ以上なにもいわずに先に外に出た。相沢から彼女と暮らすことになったと告げられた日に、今度は英之が香水の匂いをさせて帰ってきた。さあ、おまえはどうするんだ、と神様に試されている気がしなくもない。

深夜でもファミリーレストランにはけっこうな人が入っていた。英之は軽く食べてきたらしくコーヒーを頼んだだけだった。なにを食べたのかとたずねても、詳しく答えない。ひょっとしたら酔ってしまった打ち合わせ相手の女性のからだを支えたり、腕ぐらい組んだのかもしれない。よほど接近しないと、匂いは移らないだろう。

その光景を頭に思い浮かべながら食べたら、いつも頼むチーズハンバーグセットが砂を噛むようだった。

「……怒りながら食べてる？」

遼は感情が面にでにくいが、英之は些細な変化をよく読みとる。見透かしたような視線を向けられて、「いいえ」ととぼけた。

「うらやましいですね。綺麗な女性とごはん食べながら仕事の話ができる有意義な時間の過ごし方ができて。僕は寝すぎでボケて、腹が減ってるのかどうかもわからない間抜けな状態なのに」

「そのわりには食べてるじゃないか。腹も鳴ってたし」

「無理やり鳴らされたんです。手で押すから」

そう、となにやら含みのある視線を向けられて、遼はフォークをもつ手を止める。

「……なんです？」

「妬《や》くなら、一言で簡潔に」

「それは難しい」

英之は楽しそうに笑いながら煙草《たばこ》をくわえて火をつけた。

「妬いてるのは否定しないんだな」

「肯定もしてない。難しいといったのは、物事を一言で伝えるってことに関してです」

「そうだった」

こちらがいくら屁理屈《へりくつ》をいっても、英之は平然としている。むきになってやり返してくることもなく、やりとりを楽しんでいるように見える。だから埒《らち》もない話がいつまでも終わらず、遼は言葉にしたくないことまで口にさせられる。

実際のところ、英之が女性とどうこうなっても、遼にはなにもいえなかった。こんな融通のきかない男よりも、英之にはやさしい女性のほうが似合っていると思うからだ。


英之をいいという女性はたくさんいるだろう。映研の女子の山内《やまうち》も撮影の打ち上げでしゃべって好印象をもったらしく、格好いいと騒いでいた。

背も高くて顔立ちも端整だし、煙草を吸うときのしぐさをひとつとってみても所作が綺麗だ。物憂《ものう》げな目許は思慮深く見えて、落ち着いた口調で話されると、誰よりも自分を特別に理解してもらえているような気になる。子どもの頃、遼は英之に出会ったときにそう感じた。

最初はすましているお兄ちゃんに見えたが、英之は二階の自分の部屋にいるときは気を遣って遼に話しかけたり、笑いかけたりしてくれた。なにもいわずにシーツをスクリーン代わりにして映写機を回してくれたとき、反応をこっそりと窺《うかが》う目をしていたことを思い出す。遼が夢中になってスクリーンを見ているのを知ると、自分のことのように喜んでいるのが伝わってきた。どうしてかわいげのない子どもを楽しませようとして、あれこれと世話をしてくれたのか。

「――なに？」

当時のことを思い出しながら見つめていると、英之が瞬きをくりかえした。

「……いえ」

子どもの頃から、このひとには理解してもらえていると思っていた。なにもいわなくても通じている、と。英之は遼が大人相手に口をきかない子どもだと知っていて、いやがることは無理やりに話させようとしなかった。ただ、あの最後の夜を除いては……。

「今度、卒業旅行でタイに行くことになったんです。相沢たちと」

「なんでタイ？」

「予算の関係で……東南アジアってことは決まってたので。それに――僕、このあいだ、英之さんが学生の時に感動したっていってた本を読んだんですよ」

英之はいやそうに顔をゆがめた。

若い学者がタイで出家する体験記だった。ひとびとのあいだに息づいている仏教の概念を短いあいだに著者が生きているものとして捉《とら》えた瞬間はたしかに感動的だったが、遼にとってはそれほど心を揺さぶられるものではなく、若い頃の英之がこの作品を読んでどこにそれほど心惹かれたのかを理解したとはいいがたかった。たぶんそうだろうと推測することはできたが、実際のところは本人にしかわからないものだ。どんな言葉が心に響くのか。たとえば数カ月前にはなんとも思わなかったことが、あるときから心に痛く突き刺さることもある。

「どう思った？」

「感想いうんですか？」

「いや、いわなくてもいい」

本をさがすために書名を確認したときも、若気の至りを話したことを後悔していたらしく複雑な顔をされたから、積極的に聞きたくないのだろう。若い頃に影響を受けたものを振り返ることは恥ずかしく、苦痛を伴うものらしい。

「卒業旅行、相沢くんたちと一緒にか。……やっぱり仲いいんだな」

「卒業したら、いやでも疎遠になります。あいつは彼女と同棲するって、新しい部屋探してるし」

「同棲？」

「今日も部屋を一緒に探しにいくっていってました。『幸せでなによりだな』っていったら、笑ってた」

よほど意外だったらしい。英之は気が抜けたように「そうか」と呟く。

「どうしたんです？」

「いや……あの子は遼のことが好きなんだと思ってたよ。前に否定されたけど。ずっと疑ってた」

「――」

告白したことは「忘れてくれ」といわれた。だから、遼と相沢の関係には友情しか存在しない。あったとしても、すでに通り過ぎてしまったもので、胸にいつまでもとどめておくものではなかった。

「まさか。そんなこといわれたら、あいつが可哀相です。僕と仲いいからって、いいとばっちりだ。健康的なやつなんですよ」

「――安心した。相沢くんに遼をとられるんじゃないかって心配してたから」

遼は「え」と目を瞠《みは》る。

「とるもなにも……相沢はやっと卒業で、僕のフォローをしなくてもよくなったってせいせいしてる」

「嫌いなやつの世話はやかないよ」

英之がそれほど相沢の存在を気にしていたとは知らなかった。最初から『あの子』扱いしていて、微妙なニュアンスをもたせつつも、「いい友達でよかったね」と本気で妬くような相手とは考えていないように見えたからだ。

「……妬いてたんですか？」

「そう。妬いてた。俺は屁理屈いわないで、一言で認めるけど」

さらりと先ほどの仕返しをされる。

普段落ち着いているから、感情を面にださないほうなのかと思っていると、英之は案外ストレートだ。遼に対して「好きだ」と告げてきたときも、その前にいきなり抱きしめてキスしてきたときも。まさか英之にあんなことをされるとは思ってもいなかった。

恋愛はできないと告げたら、相沢は「じゃあ忘れてくれ」とあきらめた。でも英之は引こうとしない。遼に問題があるのはわかっていても、こうしてそばにいる。

「仲のいい友達が卒業すると、淋しい？　でも、彼だって、しょっちゅう映研の集まりには顔出すだろ。OB会だってあるし、合宿にも毎年何人か参加してるって三橋《みはし》さんから聞いたけど」

「そうですね。……たぶん」

「彼もきっとそうだよ」

妬いてる、というわりには、遼の取り残されるような淋しさを察しているのか、気遣うようなことをいう。ほんとうに遼と相沢との仲を嫉妬しているのなら、友達づきあいでも関わるのがいやなはずだが、そのおおらかさが英之らしいといえるのかもしれなかった。

食事を終えて外に出ると、冷たい風が頬を切る。相沢が彼女と部屋を探すといって帰っていったときの空虚感を思い出して、わずかに震える。

仕方がない。いつまでもサークルでわいわいと仲良くやっていられるわけもないのだから。

英之は支払いを終えて出てくると、「どうした？」と遼に声をかけた。顔がいつのまにかこわばっていたらしい。遼は「なんでもありません」とかぶりを振った。

相沢が離れていってしまっても、英之はまだそばにいてくれる。こんな関係がいつまで続くかわからないが、しばらくは一緒にいてくれるだろう。

少しでも長くそばにいたい。子どもの頃、願っていたように――。

「さっきの話、タイの本を読んだときに思ったことを考えてたんです」

口許を綻《ほころ》ばせる遼を、英之は警戒するように見た。

「なに？　いまごろ」

「――あなたは、やっぱりかわいいひとだと思った」

英之は目を丸くして、「褒《ほ》められてる気がしないいんだけど」と笑いを洩らした。

なぜなにも訊いてこないのだろう――と時々考えることはあった。

でも訊いてこないのだから、そのままでいてもかまわないのだと判断して、遼は英之と一緒の時間を過ごしている。

以前、英之から三橋のコンクールに送った「無音《むおん》」という作品に関してたずねられたことがあった。父のことはもう長いこと忘れていた。それなのに、あの映像と父との関係を指摘された途端、遼は自分でも驚くほど興奮してしまい感情をコントロールできなくなった。

問い詰められて、みっともなくうろたえてしまった夜――もうこのひとのそばにはいられないかもしれないと覚悟して眠りについたのに、翌朝目覚めると、英之は何事もなかったように遼の額に「おはよう」とキスをしてきた。

向けられる眼差しがひどくやわらかかったので、遼はどういう顔をしたらいいのかわからず混乱した。英之はなにもいわずにもう一度キスすると、おかしそうに笑いをこぼした。昨夜の流れを考えるとそれほど明るく笑われる理由がわからなかった。

「なんで笑うんです？」

「いや……寝顔を見ながら、遼が書いてくれた手紙のことを思い出してた」

昨夜、眠りにつく前に、遼が子どもの頃に書いた手紙も絵コンテもとってあると告げられていた。

「なんて書いてました？」

「覚えてないの？」

「撮影できなくて残念だった……とか？」

自信がなくて口ごもる遼に、英之はかすかに含みのある笑みを見せた。

「そうだな。何度も同じ言葉が書いてあって——読んであげようか？　……ちょっと待って。いま、もってくる」

それだけはやめてくれ、と必死に抗議したので、英之は「なんで？　かわいいのに」ととぼけたことをいいながらも、手紙の件でそれ以上からかってくることはなかった。

文面はよく覚えてないが、水原《みずはら》家を去るときにあわてて英之に思いを伝えなければならないと書いたものだから、どんなに恥ずかしいことを記してあってもおかしくなかった。「好き」とか「大好き」とか、まだあの頃の自分ならば書いたかもしれない。

英之は一緒に書いた絵コンテを使って撮影しようかとあらためていってくれたが、遼は断固拒否した。手紙も恥ずかしかったが、絵コンテもとんでもないものを書いた自信があったからだ。おそらく正視に耐えないレベルに違いなかった。

朝から手紙と絵コンテの件で騒いだせいで、その前夜に父のことでいいあいになったことは有耶無耶《うやむや》になってしまった。遼が泣くほど興奮したというのに、英之はその件にふれようとしなかった。

なにもいわれないままなのも居心地が悪くて、その夜ベッドに入ってから、遼は英之にあらためてたずねようとした。

「英之さん、夕べ……」

ところがそう一言口にしただけで、昨夜の息苦しさを思い出して声が詰まってしまった。英之は青ざめた遼の顔をしばらく待つように見つめてから、からかうように笑った。

「夕べ？　遼の泣き顔、かわいかった」

揶揄《やゆ》されてようやく文句をいうために口を開くと、「いいよ。無理しなくても」と頭をなでながら、英之はそっとキスをしてきた。

「……落ち着いたらで」

その夜、英之はやたら「好きだよ」と何度も囁《ささや》きながら遼を抱いた。いつになく甘ったるい言葉ばかり耳に吹き込まれるので、頭がどうかしてしまったのではないかと心配になったほどだった。このおかしな口をどうしたらふさげるのだろうと本気で考えていると、英之はおかしそうに笑って、「眉間《みけん》に皺《しわ》寄ってる」と額をつついてきた。

「……駄目だよ、考えごとしてちゃ。俺のことを見てくれないと」

その後も思い出すのも拒否したくなるような言葉を囁かれたり、もう無理だというのに何度も足を開かされてからだを繋げられ、英之の荒い息遣いを耳もとに聞きながら揺さぶられているうちに気を失ってしまった。

おかげで、その翌日も前夜の行き過ぎた行為への文句を訴えるだけで精一杯で、父の話など蒸し返すような雰囲気ではなくなっていた。振り返れば、英之がわざと遼によけいなことを考えなくてもいいようにああいう行動をとったのかもしれないとすら思う。

あれから数カ月……。ほとぼりがさめた頃に、いろいろ詮索《せんさく》されるに違いないと思ったのに、英之は父のことをなにもたずねてこない。

最初は警戒していたものの、まったく話題にのぼらせようともしないので、あえて避けているのだと確信した。

しかし父のことにふれないからといって、英之が遼の過去に興味をなくしたのかというとそうでもなかった。ほかのことはあれこれと訊いてくるし、知りたがる。遼がいままでに撮った映像も古いものも全部見たいというので、手元にあるものはすべて英之に見せた。

古い絵コンテを引っ張りだされるのは勘弁してほしいが、撮ったものを鑑賞してもらうのはいやではなかった。

遼がいままで映像を撮ってきたのは英之の影響が大きい。再会できるとは思ってなかったが、ひそかにもし英之に会ったら、「ほら、こんなに撮ったんだよ」と得意げにいうことを夢見たことすらあった。

いつのまにかその夢が叶っていることに気づいて、遼は映像を見ている英之の横顔を眺めながら、不思議な気分になる。ほんとうにこれは現実なのだろうか、と思わず頬をつねりたくなるのだ。実はこれは全部自分の頭のなかで、撮影している映画のワンシーンなのではないかと。

夢みたいで現実感がないといえば、英之とキスしたり抱き合っていることもそうだった。

最初はどうして英之がそんなことをしてくるのか理解できなかったが、実際にふれてみた感触を思い出すととても心地よくて、自分もそういったことを望んでいたのだと思い知らされた。

子どもの頃は、とにかく英之にかまってもらうのがうれしかった。再会してからも同じ感覚でいたせいで、いい大人がおかしいと思いつつも、ベッドに入り込むような真似をしてしまった。

大人の男同士がひとつのベッドに入るのはおかしいが、セックスするのなら不自然ではない。「好きだ」という言葉は拒否するくせに、寝ることをいやがらないことに英之は首をひねっているようだが、遼のなかでは理屈に合っていた。

からだを繋げるのは日常的な出来事になっていたが、遼は「好きだ」といってくれた英之の気持ちに、いまだに一度もきちんと言葉で返したことがない。

英之は遼に答えを要求しなかった。足しげく部屋に通ってくる遼の行動を見ていれば、些細な問題だとわかりきっているからかもしれなかったが、言葉でなにもいわない代わりに、からだで求められているようにも感じた。以前、関係がなかった頃には英之と寝ることなど想像もしなかったのに、いまではしないことが考えられなかった。

遼にふれてくる英之の表情はどこか切羽詰まっているようでいて、その眼差しは限りなくやさしい。気がつくと体温でとけるチョコレートみたいに、遼は彼の腕のなかで正体をなくしてしまっている。とろけた甘い部分を貪《むさぼ》られながら、「好きだ」と言葉を返さないことなどたいしたことではないとあらためて思い知らされているようだった。

そうやって抱かれるたびに、ゆるやかに彼のなかに取り込まれていくのを感じる。それは決して不快なものではなかったが、意識の片隅に疑問が沸き上がる。

このままなにも問われないからといって、英之の知りたがっていることに答えなくていいのか。

考えると苦しくなるとわかっていても、日に日にその疑問は大きくなる。どうして自分は父そっくりの映像を撮った？

聞きたかった声は——。


足を抱え上げられると同時に、目をつむって息を呑む。いつもはすぐに入り込んでくる違和感が、その夜はなかった。

「——つらい？」

からだを折り曲げるようにして、遼に受け入れる体勢をとらせたまま、英之は動きを止める。

「……いいえ。どうして？」

「いつも、しかめっ面してる」

眉間に皺が寄っているのか、英之が悪戯っぽく指でつつく。

挿入されることには慣れたが、こんなふうな体勢で目を合わせることには慣れていなかった。英之のものが狭間に当たっていて、体内にあるときよりもその硬い熱を意識してしまう。

「——どういう顔したら、いいんですか」

「声だして。こらえてるだろ？」

やんわりとした口調で指摘される。遼がほんとうにいやがることはしないが、英之はベッドにいるあいだは普段にくらべて強引だ。文句をいいたくなるが、そうやっていつになく自分勝手な熱につつみこまれるのは嫌いではなかった。

英之は自分によく合わせてくれる。だったら、こちらも英之がしたいことに協力しなければ不公平だ。

「………あ……」

小さく声をあげてみても、いったんだしはじめたら止まらなくなってしまいそうで怖くて、どうしてもうまくいかない。

英之は笑いをこらえているような表情で遼を見下ろしていた。

「それで喘《あえ》いでる？」

「……も……やだ」

顔をそらすと、「なんで」とおかしそうな声が追いかけてくる。

「──遼？　顔ぐらいちゃんと見せて」

熱っぽい眼差しに耐えられなくて目をつむると、英之はそのこめかみにキスしながら、再びからだを沈めてくる。

「──っ」

遼が唇を引き結んでいると、足を抱えなおして、さらに深くつながろうとする。英之は息を乱しながらなだめるようなキスをしてきた。

動かされるたびに、敏感な内部をこすられて快感がふくらんでいく。達しかけると、タイミングをずらされるように動きを弱められたり、前をいじる手をはずされてしまう。なかなか呼吸が合わない。

「遼──」

耳もとに囁かれるだけで、やけどしそうな熱が走った。英之は弾んだ息をこぼしながら、遼の快感をコントロールするように腰を動かす。おかげで、ようやく射精したときには予期しないほどの声がでた。

「──あ……っ」

ハアハアと息を乱していると、英之が満足げな笑みを見せて唇を寄せてくる。

「もっと声聞かせて……」

英之が達するまで荒々しく腰を打ちつけられて、心臓が止まりそうになった。

終わったあとにはぐったりしてしまって、遼は突っ伏したままでいた。そのあいだに、英之は部屋を出てペットボトルの水をとってきた。

コツン、と頭に載せられたペットボトルを受け取りながら、遼はようやく身を起こす。

「僕は下手ですか……?」

英之は水を口に含みながら、わずかにむせた。

「なんで?」

「途中で声をだせといわれても、対応が難しい」

「——そういうことしゃべらなきゃ、すごく色っぽいと思うけど」

英之は唇の端に愉快そうな笑みを浮かべた。遼は、「じゃあ、もうなにもいわない」とばかりに黙り込む。

「でも、そういう変なことをいってくれなきゃ、遼らしくない。しゃべってくれたほうが、俺は好きだよ」

「どっちがいいんですか。僕は変ですか?」

「……変っていうか、淡白なんだろうな」

「英之さんは激しいんですか?」

英之は困惑した顔を見せたあと、堪《こら》えきれないように小さく噴きだした。そのままベッドに倒れ込んで、声をたてて笑いだす。

「……俺は普通だと思うけど」

笑われたことが不愉快で、遼は顔をしかめる。英之が悪戯っぽい表情で腕を引いてきた。

「——遼。激しいやつしてみたいから、もう一回させて」

「おことわりします」

遼は腕を振り払った。その様子もおかしかったのか、英之はしばらく愉快そうに肩を震わせていた。

「じゃあ、普通でいいから」

遼がそっぽを向くのにもかまわずに、英之は再び腕を引いた。手を握り合わせて、指をやさしくマッサージするようにさすられるので、はねのけることができない。手の甲にキスされる。

「離してください」

「……さわっていたい」

英之は瞑想《めいそう》するように目を閉じて、遼の手に頬ずりしながら、指を軽く口に含む。自分の手にキスしながら、心地良さそうにしている英之の顔を見たら、文句をいえなかった。

指に軽いキスをくりかえす唇。伏せられた睫毛《まつげ》の影。やさしく、思いのほか力強く抱きしめてくる腕。

間接照明のライトに照らされて、英之の端整な容貌がきれいな陰影で浮かび上がっていた。遼は映像を撮影するときのように、瞳のなかにその一場面を切り取る。客観視して、その絵を眺めればいつものように楽になるはずだった。

それなのに――苦しい。

からだを重ねれば、相手との距離は近くなる。近くなればなるほど、決して交わらないことを知る。原因は英之ではなく、自分にある。フレームのなかの出来事のように、現実をとらえていれば、誰もふれてこられる人間はいない。

相沢はそれがわかっていたから、遼にはなにも求めてこなかった。だが、英之はこちらがいくらとまどっても手を伸ばしてくる。

どうして英之は父のことを知りたがったのだろう。自分は思い出したくもないのに――考えないようにしていたのに。

三橋のコンテストに送った映像を撮ったのは、女優が怒って帰ったというアクシデントがあったからだ。そうでなければ、自分が出演して撮ることなど考えていなかった。

おぼろげな記憶のなかの一場面。色あせてしまった風景。モノクロのフィルムのなかで、父はいったいなにを見つめていたのか。小さな子どもになにを語りかけていたのか。

いまの自分には聞こえない。父の言葉も、自分の幼い頃の声も。

たしかに存在したはずの声は、闇に吸い込まれて消えてしまった。子どもの頃に、父と自分のあいだに存在していた闇――。

ふいに英之が目を開けたので、視線が合った。脇の下に冷や汗が流れて、遼は息を呑む。

過去を見つめる自分はどんな表情をしていたのか。英之はつつみこむような笑みを浮かべた。

「――おいで」

引き寄せられるままに、遼はからだを倒す。重なり合った途端にキスされて、気が遠くなりそうになった。

2

映写機はフィルムに記録された画像を、一秒間に二十四枚映しだす。一枚の画像を映したあとにまたシャッターを閉じて、次の画像を映すという動きをくりかえしている。

「気づかないだろうけど、シャッターが閉じているあいだ、観客はみんな闇を見ているんだよ」

父は映写機を手入れしながら、遼《りょう》にそう説明してくれた。スクリーンに映しだされる画像は人間の目の曖昧《あいまい》さにより、残像現象として一枚一枚の絵がつながって見えるだけで、実際は真っ暗な闇も見ているのだと。

「ええ？　真っ暗なところなんてなかったよ」

「でも、必ず見てるんだ。瞬《まばた》きをくりかえしてるようなもので、ほんの一瞬だから、途切れ目がないように見えるだけで。映像の世界の半分は、闇なんだよ」

　あれは小学校に上がったばかりの頃だろうか。父は忙しいひとだったが、休みの日にはいつも8ミリカメラをいじっていた。なんの記録を撮るにしてもビデオのほうが扱いやすいけれども、フィルム独特の味が好きなのだといっていた。大学時代の映研仲間と頻繁に交流があったようだったが、仕事が忙しくなるにつれて、つきあいも減っていった。それでも時折、友人は訪ねてきたし、父も時間があるとカメラにさわっていた。

　フィルム独特の味とは、見えない闇のことだったのだろうか。ビデオの画像は均一の光で世界をとらえるが、そのぶん奥行きが感じられない映像になる。

「駄目だよ、壊すといけないから」

　父は決してカメラにさわらせてくれなかった。遼が興味をもっていたのはわかっていたのだろうが、最初はほんとうに小さい子どもだから壊すのが心配で――最後には遼の望みをことごとく打ち砕くために、「さわらせて」という願いを拒否した。

　幼い頃の自分は「お父さん子」に見えたのだろう。実際、周囲にもそういわれたし、母も「遼はママよりもパパが好きなのよね」と笑っていた。

　父は8ミリカメラや映像のことをいろいろと話してくれた。家にいるときに父とほかのことで話す機会はほとんどなかったので、それは貴重な対話の時間だった。どんなにやさしい笑顔を見せてくれても、父には目に見えない壁があった。たとえ戯れでも子どもにカメラをふれさせなかったことからもわかるように、決して自分のペースを崩さないひとだった。

　父は代わりに遼をよく撮影してくれた。レンズを通してなら、その視線は一心に遼に注がれる。フレームのなかの風景のほうが、父にはいとしく見えるようだった。だから、父の望むように撮りたい映像のなかに収まった。

　フィルムのなかの子どもは、理想の愛される子どもだった。子どもにも、現実よりも少しだけ美しく切り取られた情景は魅力的に映った。父の撮る世界はやさしく、せつないほどに綺麗だった。

幼い頃に家に遊びにきた父の友人たちは、そろって父のことを「親馬鹿だ」と笑った。仲間のあいだで父は子煩悩《こぼんのう》で通っているらしかった。彼らが見ているのは実際の親子関係ではなく、膨大な記録だったからだ。父は遼が生まれてから尋常ではないほどの写真やフィルムを撮影していた。だが、その記録の数ほど、遼には父とふれあった記憶はない。

「笹塚《ささづか》がこれほど子どもをかわいがるとは思わなかったよ」

友人のひとりがそういっているのを聞いたことがある。父は早くに自分の父親を亡くし、母親に女手ひとつで育てられた。その母親も高校生のときに亡くなってしまって、親戚のうちに預けられて、相当な苦労をしたらしかった。仲間内で父は一見柔和だが、非常にクールな男で通っており、結婚したことすら意外だと思われていたようだった。遼自身は幼い頃、父を「怖い」と思ったことはなかった。父は線の細い男で、その笑顔は青空のように爽やかで、つかみどころがなかった。

遼が父に楽しそうに撮影されていたり、一緒にフィルムの映像を鑑賞している姿を見て、周囲は「親子だから、やっぱり似てる」と口々に評した。だが、あの頃から遼は父の世界には決して入れてもらえないことを知っていた。彼のペースに合わせているから、そばにいることを許されているだけ。

母もずっと合わせることに慣れていたはずだが、やがて疲れてしまったのだろう。大きな事件やきっかけがあったわけではない。いつのまにか、ふたりはまったく口をきかなくなっていた。

破綻《はたん》は音もなく静かに進行して、気がついたときには手遅れだった。父は多忙から家に帰ってこない日が続き、実家の母親の具合が悪くなったためにたびたび戻っていた母が離婚を決意したのは、遼が八歳のときだった。父は離婚には異を唱えず、ただひとつ条件をだした。

「遼は渡さない。俺の子どもだ」

父がはっきりと意思表示したことが意外だった。遼はてっきり母と暮らすことになるだろうと思っていたからだ。

父はその条件を決して譲らず、母は妥協して別居というかたちを選択した。いま、離婚して遼を父に渡したら、二度と会えなくなるかもしれないと判断したからだった。実家の母親の具合がよくなるまでは、裁判や調停は避けたいという気持ちがあったのだろう。

「ごめんね、遼」

「ううん、大丈夫。僕、お父さんと暮らせるよ」

母と別れるのはつらかったが、いずれ一緒に暮らせると約束してもらっていたから淋しくはなかった。母は実家に戻るからいいが、父はひとりきりになってしまう。いまは自分がついていてあげないとかわいそうだし、不公平だと思った。それに、父の一言が遼の胸を昂《たかぶ》らせていた。

（――俺の子どもだ）

ひょっとしたら、興味をもたれていないのかと思っていたが、父ははっきりと遼の存在を認めてくれた。おまけに、いつも冷静な父が語気を強めて「渡さない」とまでいってくれた。

俺の子どもだ――あたりまえのことがひどく誇らしかった。父とふたりで暮らすことにはなんの不安ももっていなかった。


母がいなくなると、父は解放されたようにくつろいだ表情を見せることが多くなった。母に比べて気のきかないところは多かったが、たいした問題ではなかった。父の負担が増えないように、遼はひととおりの家事をこなすようになった。

「おまえは、俺にそっくりだな」

父はあるとき目を細めながら遼の頭をなでた。

「僕、お父さんに似てる？」

「ああ。俺の子どもだ」

そのやりとりのたびに、ふたりの絆《きずな》は深まっていくように感じた。

父との生活に普通の家庭のような秩序はなかった。家遼は小学生なのに、何十万という大金を渡されて、父は平日計をやりくりするはめになった。とはいえ、父は平日はほとんど家で食事をとらなかったので、光熱費を除けば自分の食事代だった。ひとりで食べるから、「好き嫌いせずに野菜を食べなさい」と叱ってくれる相手がいるわけでもなく、毎日好きなものを買ったり、作ったりした。夕食が毎回ハンバーグでも誰も文句をいわない。おかげでひどい偏食になった。

家のなかも荒れ放題だった。外見は繊細で神経質そうに見えて、父も遼も、掃除に無頓着《むとんちゃく》だった。「埃《ほこり》では死なない」が父の口癖だった。そのくせ趣味の8ミリカメラはきれいに磨いているし、フィルムは整理・分類して日があたらないように保管庫にしまっている。要するに自分の関心のあるもの以外にはいっさい目がいかないのだ。それは遼も同じだったので理解できた。何事に関しても普通のひとに比べれば抱え込める範囲が狭く限定されているのだ。

散らかり放題の遼の自室を見ては、父は「やっぱり俺の子どもだな」と笑った。父は母を嫌いになったのではないが、一緒に暮らすことがストレスになっていたのだろう。自分のコピーのような息子しかいない家のなかで、父は伸びやかな顔を見せていた。

しばらくは平穏な時間が流れた。母との暮らしもなつかしかったが、父とふたりの生活にもすぐに適応した。そうしなければ生きていけないからでもあったが、あらためて父との相似点を発見するたびに、「このひとと僕は親子なんだ」と血のつながりを実感したからでもあった。父も同じように感じていたのだろう。父の強いところは遼の強さだったし、同じく父の弱いところは遼の弱さでもあった。

父は遼が五歳頃に撮影したモノクロのフィルムを見せてくれた。レコードプレーヤーを前にして、遼がリズムをとりながら踊っているさまを、窓ぎわに立つ父がじっと見つめている映像だ。何本も同じものを撮ったので、友人たちにはあきれられたと話していた。唯一、カメラを通してではなく、父が自分をじかに見つめてくれた映像なのに、いったいどういう表情で父が映っていたのか、よく覚えていなかった。いつものように柔和で、神経質そうな顔に穏やかな笑みを浮かべていた気がする。しかし、目に映るとおりに受け取れないような、奇妙な騙《だま》し絵《え》のようなものが父の表情にはいつも見え隠れしていた。フィルムのなかの闇のように。

レコードプレーヤーのある部屋のモノクロのフィルム――たった一場面の映像に、父がどうしてあれほどこだわっていたのかはわからない。写真でもフィルムでも遼や母親が一緒に映っているものはたくさんあるのに、父が遼と一緒に同じ画面に映っているのはこのフィルムだけだった。

映像はサイレントだったので、遼は部屋のなかを流れているはずの音楽が気になった。父に見つめられて、自分が音楽のリズムに合わせて踊ったことは覚えているが、曲は記憶になかった。四、五歳だったから無理もない。レコード盤は、タイトルが読めないように撮影されている。

「流れてるのは、なんて曲なの？」

「俺の一番好きな曲だよ」

「だったら、音をつければよかったのに。そのほうがカッコよかったよ。ミュージッククリップみたいで」

「いや、音はなくていいんだ」

父がいいきったので、それ以上曲のことは詮索《せんさく》しなかった。

母と別居して、父は自由気ままな生活を謳歌《おうか》していたが、それも長くは続かなかった。ある程度、縛られたほうが精神的に安定する人間もいる。もともとひとりを好む性質だったのかもしれないが、母を失って父は無理やりにでも外に向けていた目を捨ててしまった。酒量が増えていたことには気づいていたが、その頃はまだ家で飲むことはなかった。

瞬きするあいだに消えていたはずの闇が、つねに父と遼のあいだに立ちはだかるようになったのは、父と母が別居してから一年後のことだった。父が毎日のように早く帰ってくるようになり、残業や泊まりがないはずなのに、なぜか以前よりも疲れきった顔をしていた。

ちょうどその頃、会社で問題が起こって、父が左遷《させん》されたのだとあとから知った。閑職に異動になったので、いやでも時間をもてあますようになったのだ。新聞社の記者から資料室へ異動、その後は子会社に出向になった。

子会社に出向させられてからは、再び帰りが遅くなり、正体をなくすまで酔うことが多くなった。深夜、遼はタクシーの運転手が家のインターホンを鳴らす音に叩き起こされる。たいていの運転手はうんざりした顔で父を玄関先まで引きずってくるのだが、小学生の遼が出てきて「お父さん」と呼びかけながら代わりに料金を払う姿を見ると驚いて、手間をかけさせられた文句をいうこともなかった。多くはなにもいわずに帰っていくが、なかには怒るひともいた。

「……なんて親だ。こんな小さな子どもがいるのに……」

玄関に突っ伏していた父がのろのろと起き上がって、鋭く運転手を睨《にら》んだ。

「うるせえ！」

運転手よりも、隣にいた遼のほうがその怒号に反応した。父が怒鳴るのを聞いたのは、初めてだった。運転手は「……ったく」とブツブツいいながら帰っていってしまったが、走り去る車の音が聞こえてきても、遼は凍りついたように動けなかった。

怒鳴ってから再び玄関に寝転がっていた父は、やがてからだを起こして、遼の腕をつかむ。

「……ごめん……ごめんな、遼」

酔ってはいるけれども、いつもの父の声だった。指さきをつかまれて、伝わってくるぬくもりに安堵する。

「大丈夫だよ。……お父さん、そんなところで寝てたら、風邪ひいちゃうから」

父は頷きながら立ち上がるとよろよろと歩いていき、階段のところで立ち止まる。うつむいて「どうかしてる」と呟くのが聞こえた。

「お父さん、階段のぼれない？　下で眠る？」

遼がたずねると、父は顔を上げて酒で潤んだ瞳のまま笑った。ふいに身をかがめて、遼を抱き寄せる。

「おまえはいい子だな。……お父さんとずっと一緒にいてくれな」

父は普段、子どもにふれることはなくて、頭をなでられた記憶も数えるほどしかなかった。こうして力強く抱きしめられるのは、決まって父が酔って醜態をさらし、遼に「ごめんな」と謝るときなのだ。

「うん」

「そうか、いい子だな」

抱きしめてもらえるのがうれしかった。だから遼は「ごめんな」の一言ですべてを許した。その後、酒量が増えて、自分の意思ではコントロールのきかなくなった父にどれほど理不尽なことをされようとも――。

3

映像研究部には、遼《りょう》のように自分で実際に映画を撮りたいものもいれば、映画が好きでただ語りたい、自分では撮らないけど自主映画作りに少し興味があって参加したいというものもいる。

後輩の女子の山内《やまうち》は語りたいだけの人間だったが、映画作りを手伝っているうちに、自分の作品も撮ってみたいという気持ちになったらしい。一からやるのは初めてだから相談にのってくださいといわれていたものの、なかなか時間がとれずに先延ばしになっていた。

春休みを利用して一本撮ろうか、ということになり、まずは脚本などを見せてもらうことになった。二月の終わり、休み中に大学まで行くのも面倒なので、近くのカフェで待ち合わせをする。

山内は仲のいい女子の坂田《さかた》と一緒だった。いつもふたり一組で、中肉中背、髪型も同じセミロングなので、どちらが山内でどちらが坂田なのか、最初のうちは声をかけるたびに迷ったものだ。いまでも後ろ姿を見ただけでは時折躊躇《ちゅうちょ》することがある。

「あれ？　笹塚《ささづか》さん、ひとりですか？」

ひとりで現れた遼を見て、山内が意外そうな声をあげる。

「そうだけど。ほかに誰かくるの？」

「いえ。だけど、笹塚さんがひとりって珍しいなあ、と思って。笹塚さんに声をかけると、いつもだいたい相沢《あいざわ》さんがセットでついてくるじゃないですか」

いわれてみれば、そうだったかもしれない。どうせ映画のことで話すのならば、いつも一緒に撮っている相沢を連れてきたほうが話が早いからだ。

それなのに、今回は山内からメールをもらったとき、相沢に声をかけることを思いつかなかった。もうすぐ相沢は卒業してしまうのだから、という思いがあったせいかもしれない。いつまでも緩衝材のようにそばにいてもらうわけにもいかないだろう。

「僕ひとりで不満なら、相沢呼ぼうか？」

「いえいえ、とんでもないっ」

山内と坂田は顔を見合わせて、なにやら楽しそうに笑う。嫌われているわけではないのだろうが、後輩の女子たちの含みのあるような目線の会話が、遼は苦手だ。

「じゃあ、見せてくれる？」

山内は「まず作っておいて」といわれていた企画やプロット、シナリオを用意していた。カフェを舞台にして交錯する人間関係、洒落《しゃれ》た恋の話を撮りたいらしい。二十分ほどの短編としてまとめられており、体裁は整っている。しかし、たった二十分の作品なのに、やたら場面が切り替わり、夜の遊園地やら夜明けの埠《ふ》頭《とう》やらが出てくる。

遼はひととおり目を通してから眉をひそめた。

「これ、頭のなかで撮ることを想定して、書いた？二十分の作品として？」

「はい、もちろん」

「そうか。ふうん……」

初めて撮るのに、こんなにいろいろなロケしたり、エキストラ用意しなきゃいけないシナリオを書いてくるなんて、実際の撮影のことをなにも考えてないだろうが——と思ったが、そのまま口にだすことは控えた。

「志《こころざし》が高くていいいんじゃないかな。僕には書けない。とても女性らしい作品だと思います」

「え……笹塚さん、なんか怒ってます？」

「どうして？　褒めてるだろ」

「やっぱり怒ってるじゃないですか。いいかたが丁寧だもん」

遼はふう、とためいきをついて、シナリオを山内に戻す。

「ざっと見せてもらうと、まずロケが多い。撮影許可とるのが難しい、もしくは無理なところがある。あと、撮影の時間帯も夜中から夜明けまでバラエティに富んでるけど、その時間帯にひとを集めるのも大変だし、外の撮影だと機材の問題もある。夜中に、山内さんが書いたような場面を撮ろうとすると、照明からして、大学にある機材じゃ足りない。工夫次第でなんとかなる場合もあるけど、ロングの構図は無理だよね。僕はレンタルして撮ったことがあるけど、そうすると費用が発生するから、それをどうやって工面するのか。山内さんがイメージしてる素敵な場面を映像にするには、そういった厄介な問題がひとつひとつ付随して出てくる」

山内は「ああ……」と頷きながらシナリオをめくった。

「もちろんそういった手間とか金とかをつねに念頭に置いて作れっていってるわけじゃない。演出に縛りをつけるのはよくない。手伝ってもらったから知ってるだろうけど、僕はロケの多いものも夜間も撮ったことがある。だけど、山内さんは初めての監督作品になるんだから、とりあえずは自分の撮りたい一場面を中心にして、サークルの連中に手伝ってもらえるだけですむような、コンパクトなつくりにしたほうが勉強になるんじゃないかな。最初から、撮影と並行して、それにかかる金とか時間とか人材とか考えると大変だから。機材の調達とかは僕がやってあげられるけど」

隣で聞いていた坂田が「ほら、大変だっていったじゃん」と山内の腕をつつく。どうやら本人たちも指摘されるところはわかっていたらしい。

「そうですね……なんか企画から出せっていわれたら、力入っちゃって。あれもこれも詰め込んじゃったんです」

「その気持ちはわかるけど。もう少し絞ったほうがいいかな」

山内は「わかりました」と素直に納得してから、やや意外そうに遼を見つめる。

「笹塚さんって、お金とか機材のこととか考えてたんですね。なんかいつも相沢さんがその手のことは担当してるのかと思ってたけど」

「僕だって考えるよ。金のことが一番頭が痛い。部費で捻出できるのは限られてるだろ」

「だって、笹塚さんってそういうことあんまりいわなかったじゃないですか。撮影の指示だけしてるのかと思ってた」

「そんな偉そうにしてないだろ。監督兼パシリなんだから」

山内と坂田はおかしそうに笑いだす。

「だって、それはねえ……いってくれれば、わたしたちがいくらでも買出しに行くのに、笹塚さんが全部ひとりでやっちゃうんじゃないですか」

「自分でやれることは自分でやるよ」

「でも、そうしちゃうと、わたしたちが気軽に笹塚さんにものを頼めないじゃないですか。だから、いってくれればいいのに。そのほうが、わたしたちもこうやって心置きなくアドバイスしてもらえるし」

あたりまえのことだが、遼にとっては目からウロコだった。後輩に雑用ばかりいいつけるのはよくないだろうと気を遣っていたつもりが、後輩たちにとってはよけいに気を遣わせることになっていたらしい。

「ああ……そうか。……なるほど」

「そうですよ」

ねえ、と山内たちは顔を見合わせる。

「相沢さんがいなくなったら、いろいろとわたしたちにいいつけていいんですよ。わたしたちと一緒に入った江田《えだ》くんとかだって、笹塚さんの学生映画祭での作品見てファンになったのに、相沢さんとべったりなので、なかなか話もできないって嘆いてましたよ。もっと使ってやってください。それと、撮影のときに指示だす笹塚さんは結構偉そうですよ。さすがにあんな感じで『弁当買ってこい』とか『この味は好みじゃない』って文句いわれたら、いやだけど」

「……そうか。うん」

遼は仏頂面《ぶっちょうづら》をしつつも頷かざるを得なかった。

撮影以外で山内たちと話すのは苦手だと思っていた

が、実際にこうして向かい合ってみると、そう敬遠したものでもなかった。むしろいままで目がいかなかったことに気づかされる。

見つめたくないような過去がある。そのせいでひとに立ち入られたくないから、自分も立ち入らない。それが基本姿勢だった。

でも、このままでいいのだろうか、という思いが日に日に強くなる。相沢が「彼女と暮らす」と告げて帰っていったときの背中や、英之《ひでゆき》が自分に相応《ふさわ》しい女性を見つけて連れ立って歩いていってしまうところを想像するたびに、それは膨らむ一方だった。

最近、父のことをよく思い出す。父とふたりで暮らした日々のことを――。

英之に問われたときはあれほど拒絶反応を示したのに、自然と頭のなかに浮かんでくるのだ。

「笹塚さん……?」

黙りこんだ遼に、山内が不思議そうに声をかけてくる。遼ははっとしてから、ためいきまじりに笑った。

「……わかった。今度から頼むようにするよ。偉そうじゃなく、お願いするから」

山内は驚いたように目をしばたたかせて、「まかせてください」と請け負った。


卒業旅行を前にして、英之から三橋《みはし》と食事をするから一緒にどうかと呼びだされた。

単独で会うならいいが、英之を交えて会うのは苦手だった。遼と英之がどういう関係なのか気づいているふうなのに、三橋はなにもいわないからだ。

もちろん堂々とつきあっているといえる関係でもないし、遼はまだ英之に「好きだ」という言葉を返してもいない。だからなにもふれられるわけはないのだが、時折、ちらちらと意味ありげな視線を向けられるのが喜ばしくなかった。

三橋は、遼が以前にも男に誘われたことを知っているから、「やっぱりおまえはそういう嗜好だったんだな」と思っていることだろう。たしかに英之と寝ているのは事実だが、そう捉《とら》えられるのは心外だった。

約束の店は隠れ家的な創作料理店だった。三橋は食べることにはうるさくて、金をかけると聞いたことがあるから、こういう店の情報に聡いのだろう。洗練された趣ではあるが民家を改装した店舗は門扉《もんぴ》にはなにも表示されておらず、一見《いちげん》にははいりにくい雰囲気の店だった。

中はレトロな雰囲気の和洋折衷《わようせっちゅう》の内装で、白い壁と柱の濃い色の対比が美しい。完全に個室になっていて、密談をするにはよさそうな造りだった。

どうしてわざわざこんなところに呼びだされたのだろうと身構えたが、先に待っていたふたりはいつものとおり仕事で関わった映画の話で盛り上がっていた。

「そういえば、笹塚はタイに卒業旅行いくんだって？　いつ？」

「もうすぐ――四日後です。火曜日から」

「いまの時期、旅行代金、高いだろ。タイって最近多いね。流行《はやり》なのかね。なあ？」

三橋に話を振られて、英之は居心地の悪そうな顔を見せる。若い頃、タイへ撮影しにいった一件は三橋に話したことがないようだ。

女子の山内が作品を撮りたいといっていることを話したら、三橋はできることがあったら手伝うから声をかけてくれといった。

「笹塚も、去年はきっちりしたもの撮ってないだろう、四年で院試と卒論があるからって。秋に撮影してたのは、学祭のやつだよな。それと、俺のところに送ってきた、おまえのイメージビデオぐらいか。今年は新しい作品をじっくりと腰を据えて撮ったほうがいいな」

「そうですね。僕は長いものになると整理できなくてシナリオがどうにも下手なんで、映像にしたい題材とか話を少し吟味《ぎんみ》してさがします」

「隣にいるライターさんに書いてもらえばいいじゃな

いか」

三橋は揶揄《やゆ》する口をきく。英之は困ったように三橋を睨《にら》んだ。

とくにあらたまった話があるわけでもなく、ついでに呼びだされるにしては贅沢《ぜいたく》なつくりの店だったのでどうも解《げ》せなかったが、終始なごやかな雰囲気で食事は終わった。

「じゃあな。旅行、楽しんでこいよ」

三橋と別れたあと、その背中を見送りながら遼はためいきをつく。

「どうした?」

「三橋さん、僕になにか話でもあったんじゃないんですか。いきなり呼びだされて、あんなところで奢《おご》ってもらう理由がわからない」

「俺にいってたんだよ。『最近、笹塚が俺を微妙に避けてる。飲み会で会ったときも、態度が変だった』って。だから、『そんなことないですよ』って俺がいって呼び出した」

たしかに以前より警戒した態度をとっているかもしれないが、三橋が気にしているとは知らなかった。

「そんなこと気になりますか」

「三橋さんは遼のことを才能ある後輩だってかわいがってるんだろ。だから気にするさ。さっきも、今年はちゃんとしたものを撮れってはっぱをかけられてただろ」

「期待されても、ね」

ふう、と再びためいきをつくと、英之は唇の端を上げた。

「期待するのは、三橋さんの勝手。遼が気にすることじゃないだろ。撮りたいものを撮ればいい」

撮りたいもの。あのモノクロのフィルムで自分が撮りたかったのは——。

英之が「それはなんなんだ」と問い詰めてこないから、結局自分で答えをさがすはめになっている。それは普段目に止まらないフィルムのなかの闇を見つめる作業にも似ていた。

　自分はもう忘れた、影響はないといっているのに、世界の半分は闇なのだとあらためて思い知らされる。

「――英之さん、映研の山内が映画撮るって話ですけど。あれ、英之さんも手伝ってもらえませんか」

「俺？　いいけど……なにすればいい？」

「役者がいつも足りないんですよ。英之さん、最初に打ち上げきたとき、山内と仲良く話してたじゃないですか。あの子、英之さんのことよく覚えてて。『わたしのイメージにぴったり』だって」

「どんなイメージ？」

「さあ。好きなタイプの男なんじゃないですか」

　妙な感情がこもらないように気をつけながら、遼は肩をすくめてみせた。

「いいよ。俺は演技下手だけど。協力できるなら」

　英之が快諾したことが意外だった。

「――ことわるかと思ったけど」

「俺も学生のときに撮ってたけど、出てもらう代わりに、自分もほかのやつの作品に出たよ。もちつもたれつだから。遼だって、そのへんはわかってるんだろ」

「それは……まあ」

　山内のためにはよかったと思いつつも、複雑な気持ちになるのは否《いな》めなかった。

「じゃあ、僕にはシナリオ書いてください」

「なんだよ、いきなり」

「さっき、三橋さんと話してるときにも話題にでたじゃないですか。山内の作品に出るなら、僕にも協力してください」

　英之はあっけにとられたように遼を見つめたあと、唇に笑いをのぼらせた。

「――妬《や》いてるの？」

　以前、英之は遼と相沢の友人関係を妬いていたとはっきり伝えてきた。しかし、自分は……。

　黙り込む遼に、英之は仕方ないなというふうにためいきをついた。

「いいよ。もちろん協力するよ。遼が俺に撮りたいものの構想とか教えてくれれば、手伝うよ」

落胆するのは英之のはずなのに、自分が気まずくなるのはなぜだろう。

英之は無理やり踏み込んでくることはない。入ってこないと決めているわけではなく、遼が自ら動かないと意味のないことだと判断しているのだ。

見えない部分を抱えたまま、その相手に目を向けつづけることは苦痛なのではないだろうか。いつまで英之にそんな真似をさせるのか。そのむくわれない感情は誰よりも自分がよく知っているのに。

昔、自分を憎んでるのか、愛してくれているのかわからない相手に、必死に手を伸ばし続けたことがあった。

父の顔が脳裏に浮かんできた。どれほど近くにいると思っても、つかみきれなかった男の笑顔が。一番なりたくなかった父の姿が、自分のいまの姿にぴったりと重なっていることに気づく。

「遼?」

呼びかける声にはっとして振り返る。英之は遼が黙り込んだので気にしているようだった。

「いえ……なんでもないです」

曖昧《あいまい》に微笑む自分は、きっと父と同じ顔をしている。そう考えると背筋が寒くなった。


「旅行、楽しんでこいよ」と餞別《せんべつ》の言葉を送られたにもかかわらず、その翌日には三橋と書店で偶然会った。

飛行機のなかで読むための本をさがすためにぶらぶらしていたら、声をかけられたのだ。いまは彼女もいなくて、三橋は休日に暇をもてあましているらしい。

「面白い本さがしてる? あ、じゃあこれだ、これこれ」

ひとの好みも聞かないまま、三橋は自分のイチオシをいくつかピックアップして教えてくれた。

最近苦手だと思っていたが、昨夜英之にいわれたこ

とを思い出して、遼はおとなしくおすすめのなかから数冊選ぶことにする。

自分の選んだ本を遼が買ったからか、三橋はえらくご機嫌になってコーヒーを奢ってやるといいだした。部屋を出るとき英之は仕事をしていたし、少しぐらい帰るのが遅くなってもいいかと一緒にカフェに入った。

英之とのことを知られているかと思って距離を置いていたが、久しぶりにふたりで向き合って話すと、やはり三橋は話しやすいし、おもしろい先輩だった。変に警戒する必要なんてなかったな、と後悔する。

話がひと段落したところで、三橋が意味ありげに遼を見つめた。

「いやあ、笹塚に嫌われてるみたいなんで、お茶も一緒に飲んでくれないかと思ったよ」

「――英之さんにいわれたんで」

「なに？」

「三橋さんが僕のことを気にしてるからって」

三橋は「あいつめ」と舌打したあと、意外そうな顔をした。

「なんだ、水原《みずはら》にいわれたからか。三橋さんと仲良くしろって？　おまえ、ひとのいうこと、きくやつだったんだな」

「べつに……そうじゃないですけど。三橋さんには僕もちょっと気まずくてどうしようかと思ってたところがあったから」

「ふうん。気まずいねえ。笹塚がそんなことというとは」

「おかしいですか？」

「おまえって繊細そうに見えて、けっこう無礼だろ？」

「三橋さんは僕を攻撃するの、好きですよね」

三橋は愉快そうに笑った。

「いやいや、気にしてもらってうれしいよ。おまえも変わるもんだな。誰かの影響なのかな」

こういうことをいわれるから気まずいのだ――と内心ぼやく。英之との仲を知ってるなら知ってるとはっきりいえばいいのに。

「――水原は、おまえのこと大事なんだな。大切にしてるよ」

いきなり真顔で核心に踏み込んでこられて、遼は面食らった。こんなことをいわれるのなら、まだからかわれたほうが対処の仕様がある。

「そう――なんですかね」

「『そうなんですかね』って、他人事《ひとごと》みたいにいうなよ。あいつは俺に話したときも、『誰に知られてもべつにかまわないから』って腹くくってたぞ。水原も二年ばかり、誰ともつきあってなかったみたいだけど。……変わったといえば、あいつもおふくろさんが亡くなってから少し変わったしな」

亡くなったということは知っていたが、英之からは詳細を聞いたことがなかった。

「どう変わったんですか？」

「ん？　慎重になったかな？　前から慎重なやつだけど、さらにっていうか。感情的にものをいうことが減ったかな。年のせいもあるけど、丸くなったよな。あいつもひっそりと執念深いとこがあるんだけど、険がとれたというか」

「……そうなんですか」

他人から英之の事情をあれこれ聞くのは、どことなく居心地が悪かった。力の抜けた返事をする遼に、三橋はやれやれと肩をすくめてみせた。

「ほんとに仲良くやれよ？　俺はそういう世界のことはよく知らないけど。水原は、元カノが離婚したって話をしても、まったく動じなかったんだから。おまえがよほど好きなんだろうな」

「離婚……？」

「沙世《さよ》ちゃんという長くつきあってた彼女が……まあ、水原のほうが振ったんで自業自得なんだけど。さっさと他の男と結婚されちゃって未練ありそうだったから、去年、『離婚したぞ』って教えてやったんだよ。でも、もう――ほら、おまえがいるからさ」

そういう相手が過去にいたのか。いるのがあたりまえだと思っても、実際の話を聞かされるのと、想像しているだけとは衝撃の度合いが違った。

「よりを戻す話とかないんですか」

「ないない。俺もおまえのことを知らないときはお節介しようかと思ったけど、よくよく考えてみたら、彼女のほうでおことわりだよな。自分を振った男なんて。女性は切り替え早いから、きっと水原よりいい男見つけるよ」

沙世という女性ではなくても、いつかお似合いの女性が英之の隣に並ぶことになるかもしれない。そうしたら自分は身を引こうと考えていた。だけど、頭のなかで考えているだけで、実際にそんなことができるのか。

「……英之さんには、きっとその女性のほうが似合ってますよね」

自らにいいきかせるように呟く。三橋は理解しかねるといったふうに眉根を寄せた。

「でも、水原はおまえがいいっていうんだからさ。仕方ないだろ。……ったく、なんなんだよ、さっきから他人事みたいに。水原がおまえに惚れてるって話をしてるんだぞ」

「そうですね。無神経でした。……僕の悪いくせだ」

遼の沈んだ様子を見て、三橋は首をかしげながら「まあ、仲良くしろよ」と励ましてくれた。

三橋と話しているあいだはごまかすこともできたが、カフェを出て別れてひとりになった途端、遼の胸のなかには重苦しいものが一気に広がった。


その夜、沙世という女性のことをたずねてみようかと思ったが、なかなかきっかけがつかめなかった。夕食中、時折遼が箸《はし》を止めて見つめていることに気づいたのか、英之のほうから気遣わしげな視線を寄こす。

「どうした？　なにか考えごと？」

実は昼間、三橋に書店で会ったのだと話すと、拍子《ひょうし》抜《ぬ》けした顔をされた。

「三橋さんが、なにかいった？」

「……英之さんの元彼女が去年離婚したって話をされました」

「ああ――」

英之はわずかに困った表情になった。

「それで？　まさかあのひと、俺がまだ彼女に未練もってるって話をしたわけじゃないよな？」

「いいえ。まったく未練がないって。僕のことを大切にしてるって――」

「それはよかった。三橋さんに文句いわないですむ」

茶化すような口をきいてから、英之は少し考え込んだ。穏やかながらもどこか痛みを感じているような眼差しを見せる。

「……彼女のこと、俺はうまく大切にしてあげられなかった。俺が悪かったんだよ。彼女もろくなやつじゃなかったと思ってるだろうな」

そのひとのことを、ほんとうになんとも思っていないのだろうか。もし、遼に再会する前に彼女が離婚したことを知っていたら？

英之は遼の心を見透かしたように笑った。

「三橋さんから聞いたとおりだよ。俺は遼が好きなんだ。いまさらどうしようもない」

好きだといってもらっても、いたたまれないのはなぜだろう。その得体の知れない思いはじわじわと膨らんでいって、心を締めつけていく。

就寝前、先にシャワーを浴びてベッドで待っているあいだ、遼はひどく落ち着かなかった。いらいらと指を噛んだり、何度も深呼吸したり、髪をかきあげたりといった動作をくりかえした。

しっかりしろ――と自らを叱咤して、ベッドに横たわる。じっとしていると、呼吸が苦しくなった。やがてそれも落ち着くと、今度は全身に力が入らなくなる。ぐったりと横たわったまま永遠に起きられないのではないかと危ぶんだ。

英之に抱かれればこんな症状は消え去る。父の影に怯《おび》えながらも、英之のぬくもりを感じているうちに寝入ってしまった幼い頃のように。もしくは父のことを口にだそうとしただけで青ざめてしまった夜のように。

ほんとうに――？

いくらセックスしても、彼が入り込めない場所を残しているくせに？　自分の不安を拭うためなら、相手を不安にさせてもかまわないのか。

考えているうちに心ここにあらずといった風情になっていたのか、英之は部屋に入ってくるなり、「おや」という顔つきで寝転がっている遼の頬をそっとなでた。

「――疲れてる？」

「いえ……」

「そう？　……寝ようか」

部屋の天井の灯《あ》かりが消され、ベッドサイドに置いてある間接照明をつけられる。行為の最中は、その弱い灯かりはいつもつけたままだった。

布団のなかに入ると、軽く額にキスをされる。

これで楽になれる――ともっと深いキスを待っていたのに、いつまでたっても唇がふれてくる気配がなかった。「え」と思いながら目を開けると、英之の顔が間近に迫っていて、表情をさぐるように見つめていた。しばらくすると、その口許《くちもと》が微笑んだ。

「おやすみ」

英之は身を起こして、ベッドサイドの照明を消すと、すぐに目を閉じて布団のなかに深く身を沈めてしまった。取り残された遼は茫然と呟くようにたずねる。

「……しないんですか？」

一度してからは、英之の部屋にくるたびにそういう行為をしている。さすがに仕事で忙しいとか、互いに風邪気味で体調が悪いときにはなにもなくても、こういう状況で泊まってなにもされないのは初めてだった。

「疲れてるだろ？　そんな顔してる」

「でも……」

　先ほど抱かれれば不安がなくなると思ったのに、あてが外れてしまった。

「――してほしい？」

　認めることに抵抗を覚えながらも頷くと、英之はいささか驚いたように「じゃあ、しようか」と笑った。

「禁欲しようと思ったのに……そういわれたら、応《こた》えないわけにいかないな」

　暗闇のなかでからだを寄せてきて、からかうようにいいながら唇を合わせてくる。

　ふれてもらえれば落ち着くと思ったのに、キスをされただけで息苦しくなった。パジャマの裾から手を入れられただけでからだがこわばる。

「……っ」

　いつものようにからだが火照って、胸がどうしようもなく速い鼓動を打つのとはまるで違う。冷や汗をかくような、居心地の悪さが増殖されていき、ふれられるたびに全身が硬直していくようだった。

　英之が遼の首すじを吸いながら、からだをなでていく。いつもなら胸をさすられて、小さな突起を舐《な》められただけで疼《うず》くものがあるのに、くらくらと眩暈《めまい》がする。

「――遼？」

　いくらセックスのときに遼がぎこちないからといって、普段とは勝手が違うことに気づいたらしく、英之は胸から顔を離すとベッドサイドの照明をつけて、遼を覗き込んだ。

「どうした？　やっぱり気分悪いんだろ？」

「違う……」

　頑《かたく》なに首を振る遼に、英之はためいきをついた。

「珍しく誘ってきたかと思ったら……そんなに青い顔して、したがるもんじゃないだろ」

「……いつもするのに、しないと変じゃないですか」

「しないときだってあるよ」

　遼がセックスしたがるのをいつもの習慣癖だと判断したのか、英之の表情が綻《ほころ》んだ。

「したいときはすればいいし、したくないときはしなくていいんだよ」

「でも、英之さんはいつもする。だから、してくれないと……」

「いつもはそうだろうけど……」

英之はやや決まり悪そうに笑いながらからだを起こす。

「そんなにしたがってるかな、俺は――まあ、たしかにそうなんだろうけど。でも、今夜はいいよ。遼はそんな気になってないだろ？」

以前は遼が青い顔をしていても、父のことから気をそらすように抱いたのに――そのときよりも、精神的にまいっていることが表情にあらわれているのかもしれなかった。

抱かれても、この居心地の悪さが消えるわけではない。ほんとうはからだの接触でごまかさず、もっと別のことを話さなければならないと頭のどこかで感じている。

それがなかなか口からでてこなくて、遼は起き上がりながらうつむいて息を吐く。先ほどひとりで英之を待っていたときの息苦しさが戻ってきた。

「英之さんは――僕を好きだっていいましたよね」

「好きだよ」

相手に応えてないのは自分なのに、いまさら気持ちを確認してどうしようというのか。こちらは与えてないくせに、「好きだ」といってもらおうなんて矛盾していた。いったいなにを求めているのか。

「……遼？　どうした？」

英之が心配そうにたずねてきたが、先ほどから心の底にもたげた不安をどう説明していいのかわからなかった。

このままではいけないことは感じている。英之がきちんと向き合ってくれていることを知れば知るほど苦しいのは、自分がそっぽ向いていることをわかっているからだ。

いつのまにか父と同じようになっている。そばにいる大切なひとに不安を与えるような存在にだけはなりたくないと思っていた。それなのに……。

その事実を見つめるのは、過去を振り返る行為につながった。

吐きだせば楽になるものでもない。忘れたはずのものを記憶から呼び覚ませば、見えてくるのは到底愉快とはいえないものだった。それを知って、英之はどう思うのか。

「……どうして英之さんは僕になにも聞かないんですか？」

「なにを？」

「前に……父のことを聞いてきたでしょ。僕は話したくないから、忘れたといった。その後、なにもいわないのはどうしてですか。気にするのをやめたんですか」

「気にならなくなったわけじゃないよ。聞くのをやめたわけでもない。ただ遼が話したいときに話してくれればいいと思ってるだけだ」

英之には余裕がある。だから遼を好きだといってても、焦らないことはわかっていた。居心地のいい腕のなかで、その好意が続く限り猶予を与えられているが、無限大ではない。

「……僕は恋愛をしないっていってもらっても、応えられないって。あなたに好きだっていってもらっても、応えられないって。そのことはどう思ってるんですか」

「――応えてもらってないとは思ってない」

囁《ささや》きのようでいて、不思議と力強い声だった。意外な答えに、遼はとまどう。

「俺はもう応えてもらってると思ってるよ。ゆっくりだけど……遼がこうして俺のそばにいてくれる限りは、応えてもらえてると思ってる」

「……どうして？」

問いかけながら、なんに対して問うているのか首をひねる。

「なにが、どうして？」

「あなたはどうしてそんなに僕に一生懸命になれるん

ですか？　子どもの頃を知ってるからですか」

「否定しないけど……それだけじゃない。一番は、再会したきみに惹かれたからだよ」

慎重に言葉を選ぶ英之らしかった。

「子どもの頃のことだって大事だよ。それがあって、いまの遼がいるんだから……あのあと、どうしたんだろうって気になってたよ。手紙を書いたけど、戻ってきてしまったから」

英之が手紙を書いてくれていた。初めて知る事実に混乱して、さらになにをどう訴えていいのかわからなくなった。

「……そうなんですか……あの頃は何回か引っ越したから……」

「大変だったんだな」

完全に言葉を失ってしまった。子どもじみたことはしたくないと思っていたくせに、これではまるで駄々っ子のようだ。

「遼は俺と『もっと仲良くしたかった』っていってたけど、俺だってそうしたかった」

「……」

父親に殴られていたかわいそうな子ども。ほんの少しのあいだ関わったのに、なにもしてやれなかった。英之はおそらくその事実を悔いているのだ。

でも英之の知らないことがある。

遼は、自らが傷つけられたことに傷ついているわけではなかった。その痛みを背負っているだけなら、まだ楽だった。

過去を振り返って、おぼろげに見えてきた姿に怯えながら、遼は乾いた笑いを洩らす。

「……僕には、あなたに好きになってもらえる資格なんてない。そんな人間じゃないんです。あなたがかわいそうだって思ってた男の子はもういない」

「俺はきみを子ども扱いしてるわけじゃない。何度いったら――」

語気を強める英之の言葉を、遼は静かに遮《さえぎ》った。

「違うんです」

なにが違うのかと訝《いぶか》る視線と目が合った。遼は深く息を吸い込む。

「……殺したんです」

英之の瞳が驚きに見開かれる。その一言を口にするときはどれほど感情が昂るのかと畏れていたのに、不思議なほど心は凪《な》いでいた。

「僕は父を見殺しにしたんです」

呟く声は他人のもののように聞こえた。意識が落下するような浮遊感につつまれる。

いま、英之に目に映っている自分はどんな顔をしているのか。瞬きするあいだに確実に存在する闇のように、普段は見えないはずの深淵はすぐそこにあった。


父の変貌は、坂道を転げ落ちるように急だった。

初めはタクシーの運転手に投げつけたような怒号が遼に向けられることはなかった。酔って帰ってきてひとりで悪態をつくことがあっても、遼を見て父は我に返っていた。

「ごめん……ごめんな、遼」

謝る父の姿はかなしげにさえ見えた。

やがて外だけではなく、家でも飲むようになってから症状は一気に悪化した。酒が抜けたあとは落ち込んで、もう絶対に飲まないと誓うのだが、長続きはしない。

父は隠れるように自室で飲んでいた。自らの意志の弱さを露呈させるのが怖かったのか。増えていく酒量に、日々不安が募っていった。

「もう飲まないっていったじゃないか。嘘つき！」

自室で飲んでいる父に抗議したとき、息子に弱さを指摘されたからか、「嘘つき」といわれたことに腹を立てたのか、父は初めて怒りの矛先を遼に向けた。

「うるさい！」

頬に焼けるような痛みが走った。同時に突き飛ばされて、遼は床に倒れ込んだ。逆上した父の拳《こぶし》が腹に食い込んできたところまでは覚えている。あとは気を失ってしまった。

目覚めると、父が青い顔をして座り込んでいた。「大丈夫か」との呼びかけに、遼があとずさりするのを見て、父の顔がゆがんだ。

「……ごめん。もうしない」

引き寄せられるままに父の腕のなかに倒れ込んで、遼は顔をうずめた。そのぬくもりは刹那《せつな》のあたたかさだった。

父は酒を飲むと、同じことをくりかえした。だが、いつも混乱がおさまったあとには、青い顔をして反省する。「ごめん」と抱きしめられて、遼は父をどのタイミングで突き放せばいいのかわからなかった。

顔の腫《は》れは目立つものだったので、学校で担任に「どうしたの」と見咎《みとが》められた。遼はなにも話さなかったが、母が別居している事情もあったせいか、地域の児童相談所の人間がすぐに家に事情を聞きにきた。「階段から落ちて、顔をぶつけた」――見え見えの嘘だったが、父と遼がふたりそろって「問題ない」といいはれば、家庭内に入り込んでくる権限は彼らにはなかった。

「いい子だな、遼」

児童相談所の人間が帰ったあと、父は遼を抱きしめてくれた。

「俺にはもうおまえだけだ……」

父は二度と顔を殴ることはなかった。遼が庇ったことで同意を得たように、暴力は外から見えないところに加えられるようになった。意図したことではなかったが、嘘をついたことで自分は父の共犯者になってしまったのだと悟った。

以来、心配した担任に何度も事情を聞かれたが、遼は父の行為を告白することも嘘をつくこともできず、やがて大人相手になにをいわれても口を閉ざすようになった。

田舎の実家に帰っていた母が迎えにきたが、遼は最初に児童相談所の人間にしたのと同じ説明をくりかえしただけだった。母のところにはいつでも行くことができる。いま自分が離れたら、父はほんとうに駄目になってしまう、見捨てることになる――その恐怖が、遼を父の元に縛りつけた。

だが、父の依存症は進んでいて、遼がなにをしても手に負えないところまできていた。父はアルコールを飲みすぎてからだが受けつけなくなると、そのあいだは自己嫌悪に苛《さいな》まれて立ち直りたいと口にするのだが、再び飲めるようになると希望のいっさいを忘れてしまった。

酒の代わりになにか夢中になれるものがあればいいのだと、遼は父に8ミリカメラで自分を撮ってくれと頼んだ。父はもう随分カメラにふれておらず、興味なさげに首を振った。

「じゃあ、僕に撮らせて。壊したりしないように気をつけるから」

父が一緒にカメラで撮影してくれれば、無気力な症状が良くなるのではと期待していた。しかし、父は頑固に「おまえにはさわらせない」とくりかえした。

8ミリカメラのことでいいあいになった夜、父は酒を飲んでひときわ荒れた。遼は自室に引っ込んでいたが、近所迷惑になるほどの大声だったので、たまりかねて父の部屋に入った。

父は暴力を振るってこなかった。代わりに、8ミリカメラや映写機、大切に保存していたはずのフィルムをひっぱりだして、あたり一面にばら撒《ま》いていた。床に叩きつけられたカメラは破損し、部品が散らばっていた。編集しおえたフィルムも引き出されて、ぐちゃぐちゃになっていた。

翌日、父は荒れ果てた部屋のなかで、大切にしていたものの残骸《ざんがい》に囲まれて魂が抜けたようなうつろな目をしていた。その光景を見たら、自然と涙があふれてきた。どれほど暴力を振るわれても、遼はそれまで泣いたことがなかった。

誰かに助けてほしかった。一番助けを求めたい人間が、自分を傷つけているという現実は受け入れがたかった。もはや母のところに逃げることすら思いつかず、精神的に疲弊《ひへい》しきっているのに、自分の居場所はここしかないように思い込んでいた。

やがて母にひそかに相談されて、父の友人が遼のうちを訪ねてきた。以前はよく遊びにきていたひとで、顔には見覚えがあった。大学時代の友人で水原だと名乗ったそのひとは、英之の父親だった。

母から頼まれたとはいわずに、水原は父としばらく和《なご》やかに談笑しながら、用心深く家のなかを観察していた。お茶を運んできた遼を見て微笑む。

「遼くんか。大きくなったね。何度か会ったことあるはずなんだけど、おじさんのこと覚えてるかな？」

このひとも父と僕のことを暴きにきたのだろうか。遼は硬く唇を引き結んで首を横に振った。

「そうか。忘れちゃったか。遼くんとお父さんを撮ってあげたこともあるんだけどな。レコードプレーヤーのやつ、覚えてない？」

何度か見たモノクロのフィルムが脳裏に甦ってきたが、靄《もや》がかかったように細部を思い出せなくなっていた。続いて頭に浮かんでくるのは、破損した8ミリカメラ、床に引き出されてめちゃくちゃになったフィルムの山——。

「水原。ちょっとこいつは人見知りがひどくて」

不審に思われるとまずいと思ったのか、父はいいわけをした。アルコールが入ってないときは、父は嘘のように穏やかだった。

「ああ、恥ずかしがりやさんなんだな。そうだ、これ、あげよう」

水原は遼にポチ袋を手渡した。不自然に手を握りしめられたことに、遼は驚いて瞬《まばた》きをくりかえす。水原はひそかに訴えかけるような目を向けてきた。

「おい、いいよ、そんなの。子どもにやめてくれ」

「いや、お小遣いじゃないんだ。図書カードなんだよ。遼くん、本が好きなんだろう。好きな本、それで買いなさいね」

もういいよ、おじさんたち話があるから——と水原は遼に立ち去ることをうながした。父にポチ袋を取り上げられることを避けたいようだった。

遼は部屋を出てから、早速中身を開けてみた。図書カードと、小さく折りたたんだ手紙が入っていた。

『お母さんから連絡を受けてやってきました。月曜日の放課後、まっすぐ家には帰らず学校の校門のところで待っていてください。迎えに行きます』

自発的には家を出ることなど考えられなかったが、どうにかしてこの状況を変えたかった。父を裏切ることに心を痛めながらも、壊れた毎日がくりかえされるのはもう終わりにしたかった。父は病気なのだ。自分が助けてあげられないのなら、誰かに助けてもらわなければならない。

そして月曜日——遼は校門のところで水原の迎えの車に乗った。もし、こんなところを父に見つかったらと思うと、心臓が破れてしまいそうだった。

緊張している遼に、水原は穏やかに笑いかけた。

「遼くん、お母さんからだいたいの事情は聞いてる。きみが姿を消したら、お母さんのところにお父さんが押しかけていくから、すぐにはお母さんのところに行けない。お母さんが新しい家をさがして、きみを迎える準備ができるまでおじさんの家で暮らしてもらうことになる。心配しなくてもいい。学校にはお母さんから事情を話してもらうから。おじさんのうちには、おじさんの奥さんと、高校生の息子がいる。なにも心配しなくていいからね」

思いもかけないことをいわれて、遼は必死に首を振った。

「お父さんは、きみを殴ってるんだろう？　そして、周りにそのことをいえない状況になってる。きみはお父さんと離れなきゃいけない。ふたりのためなんだよ」

声を振り絞ろうとしたら、吐き気がした。大人相手に父のことを聞かれても黙っていたが、このままでは父から引き離されてしまう。

「……くない……お父さんは悪くないいっ……！　ひとりにできないいっ」

水原は痛々しいものを見るような目をした。その眼差しに打ちのめされて、遼は再び口がきけなくなった。

「笹塚は病気なんだ。そしてきみもとても疲れてる。互いに少し離れてみれば、そのことがよくわかるよ」

父は自分がいなくなったことを知ったら、どれほど失望するだろう。車から飛び降りて家に帰りたかった。だが、矛盾したことに無理やり連れ去られて安堵もしていた。……これで家に帰らなくてもすむ。

水原の家に着いたときには、逃げ出そうという気はなくなっていた。なにも感じたくなかった。疲れているのは事実だった。

父がいつ酒を飲んで暴れだすのか、正気に返ったときに絶望してどこかに消えてしまわないかと心配して過ごすことから解放されて、静かな場所で眠りたかった。父と離れる気はなかったが、ほんの少しだけ休ませてほしかった。

水原の妻はやさしそうな女性で、なにも事情を聞かされていないらしく、「今日からしばらくこの子を預かることになったから」と告げられて驚いた顔を見せたものの、遼に笑顔で接してくれた。

「英之、おまえの部屋に布団敷いてやれ。頼むな」

高校生だという息子は、明らかに困惑していたが、ちらりと遼を見て「わかった」と頷いた。

すらりと背の高い、目鼻立ちの整った息子は小さくためいきをつき、母親に「ほら、いきなりかわいい弟ができたわよ」とからかわれて顔をしかめた。

「ほんとにいきなりだよ。なに考えるんだ、父さんは。……ったく」

舌打ちされたことに、遼は身を縮こまらせた。その反応に目ざとく気づいたのか、息子は決まり悪そうに身をかがめてきた。

「――年は？」

口をきかない子どもだと説明されてないようだった。遼はまともに相手の顔を見られず、ぼんやりと視線を返してうつむく。

遼が返事をしないので、英之は困ったように母親を見る。

「あなたが怖い顔するからじゃないの？　駄目よ、いじめちゃ。子どもの頃に、妹か弟が欲しいって騒いでたでしょ。よかったわね、夢が叶って」

「――いつの話してんの？　もう高校生だぜ。遅いよ」

「ほら、そんなこというから、警戒されるのよ」

水原母子《おやこ》ののんびりとした会話を聞きながら、遼はいまにも倒れそうだった。

もうここは家じゃない。怒鳴り声に怯えることもない。殴られる痛みをこらえることもない。

遼が口をきかない子どもだという情報は、水原母子にも伝わったらしく、ふたりとも無理に口をきかせようとはしなかった。

水原の妻は遼がなにもしゃべらなくても、あれこれと世話をやいてくれた。久しぶりに小学生の子どもの相手をするのがうれしいらしく、息子の英之にあきれられていた。対して、英之は母親に「しっかりお兄ちゃんしてね」とからかわれるのがいやなのか、階下ではほとんど遼にかまってこなかった。水原とその妻があまりにも遼を歓待するので、英之の冷たさにほっとしたほどだ。

だが、自室でふたりきりになった途端、英之が実は遼のことを両親以上に気にしていることが判明した。それは生態のわからない、珍しいペットを見るような気持ちだったのかもしれない。

「布団、これでいいのかな。パジャマは……これ、俺のお古かな。くたびれてるな。いやだったら、着なくてもいいから」

両親の前では、なにを話しかけられても「べつに」「いいよ」「わかった」などと短く応えるだけで、やる気なさげな対応をしていた英之だったのに、なぜか口をきかない遼と対したときだけ多弁になった。

最初は目を丸くしたが、どうやらこのお兄ちゃんはおじさんたちの前ではクールに変身するらしい、と理解した。自分も大人たちの前では口をきかないし、似たようなものかもしれない、と。

「寝るとき、真っ暗で大丈夫なのか？　豆電球つけたほうがいい？」

いちいち確認されるので、遼は無視するわけにもいかず、首をたてに振ったり、横に振ったり忙しかった。

「おやすみ」

ベッドに入るときに、英之は布団の上に座っている遼にそう声をかけてきた。

「おやすみなさい」と答える代わりに遼は無言のまま深々と頭を下げた。英之がびっくりしたようにこちらを見ているのに気づいて、逃げるように布団のなかに潜り込んだ。

あいさつすらいえない子どもだとあきれられるかと思ったのに、英之はそれからさらに頻繁に遼に声をかけてくるようになった。相変わらず遼は口をきかなかったが、頷いたり、首を振ったりのジェスチャーだけで、英之は満足したように「そうか」と笑ってくれる。

水原のように痛々しい目をされたら耐えられなかったが、息子のほうは「口をきかない子どもだ」ということ以外はなにも聞いていないらしく、どうしてしゃべらないのか純粋に疑問に思っているらしかった。

（なにか話せよ。話せ話せ）

寝る前に布団で図書館から借りてきた本を読んでいるとき、ベッドの上から英之がそう念じて見つめてきているような気がしてならなかった。ものすごいプレッシャーだったが、不思議といやではなかった。

「……遼、モノクロのフィルムに映ってただろ？　お父さんと？」

父のことをいわれて、全身が硬直した。英之はあのフィルムを見たことがあるのだ。

勘がいいのか、父の話は駄目だと悟ったらしく、英之は二度とその話題にふれてくることはなかった。

初日に部屋に入ったときから、8ミリのカメラが置いてあることに気づいていた。さわってみたかったが、父に拒否されたように、英之にも「駄目だよ」といわれると思ったから、棚にあるのを眺めているだけだった。父のカメラは壊されてしまって、もう二度とさわることができない。カメラが壊れて床に落ちている情景は思い出したくもないのに、気になって視線を走らせてしまうのはどうしようもなかった。

ある日、英之はいきなり本棚にシーツをかぶせると、部屋に映写機を運び入れてセットした。じろじろ見てはいけないと思って目をそらしていたが、部屋の灯かりが消されて、即席のスクリーンの上に映像が流れだした途端、無視できなくなった。

隣に英之がいるのも忘れて、遼は映像に見入った。笑われても、もう気にしなかった。やがて季節で移り変わる空の映像が映しだされたときには、息をすることすら忘れていた。


遼はそれまで薔薇色《ばらいろ》の空など見たことがなかった。普通の住宅街の風景――それなのに、こんな色の空が、ごく日常的に存在している事実に圧倒される。思わず「綺麗だ」と呟いたときには、英之ははにかんだように「うん、綺麗だろ」と返してきた。

遼がしゃべっても、英之はいままで口をきかなかった理由にはふれず、ずっとそうしていたように自然に言葉を返してきた。だから、遼は自由に話すことができた。

英之は、遼が話したり笑ったりすると、うれしそうだった。どうしてこのひとは僕の反応をこれほど気にかけるのだろうと首をひねらずにはいられなかった。父は遼の表情など気に止めてくれなかった。自分がどれほど「やめてくれ」といっても、聞く耳をもってくれなかった。

それなのに、他人の英之がなぜこれほど遼の言葉を聞きたがったりするのか。自分の意思を伝えようとして、声をかけたり、映像を見せてくれたりするのか。

「見るだけじゃなくて、今度は撮ってみようか」

夜中の上映会を何度か開いたあと、英之は撮影計画を立てようといった。

「すぐは駄目だよ。フィルムは現像代もかかるし、きちんとコンテを描いて、ワンカットずつ考えて撮らないと。気楽にビデオを回すみたいにはいかないから」

「コンテ?」

一コマ一コマ構図を考えて描くものだと教えられた。遼が「カメラにはさわったことがない」というと英之は棚に置いてあった8ミリカメラを手にとって、「ほら」と目の前に置いた。

無造作に置かれたそれに手を伸ばしかけてから、あわてて引っ込める。

「どうした?」

英之がきょとんとするので、遼はおそるおそる問いかける。

「……さわってもいいの?」

「いいよ」

あっさりと答えが返ってきたことが信じられずに、声がうわずる。

「こ、壊さないようにするから」

「うん。壊さないでくれよ。一応俺のものだけど、親《お》父《や じ》に怒られる」

幼い頃からあれほどさわってみたくて——でも、さわらせてもらえなかった8ミリのカメラ。

父は、遼がふれる前に、自分で壊してしまった。散らばった残骸を思い出すだけでつらかったし、もう自分には縁がないと思っていたのに、さわってみたいという気持ちは強かった。

遼はそうっとカメラに指を伸ばして手にもってみる。

実際にふれてみたら、記憶が上塗りされるように、つらい思い出よりもいま手のなかにあるカメラのずっしりとした重みとよろこびのほうが鮮明になった。

胸がいっぱいになって、しばらく言葉がでなかった。幼い頃から目にするたびに、あれはどういう仕組

みになっているんだろう、と興味を抱いていた。ずっとさわってみたくて……。

英之が見ているのに気づいて、遼はカメラをもつ手にぎゅっと力を入れてあわてて視線をそらした。なにか一言いったら泣いてしまいそうだった。でも、黙ってもいられなかった。

「僕にも、撮れるかな」

「――撮れるよ」

英之はこともなげに答える。おそらく遼の目が涙で潤んで真っ赤になっていることに気づいたはずだが、からかってくることもなかった。

もしかしたら遼が預けられている事情を知っているのかもしれない。英之が時折、ひどくやさしい目をして見つめてくるたびにそう考えた。でも、英之は「知っている」とはいわなかったし、自分も気づかない振りをした。

周囲の人間に「お父さんが悪い、遼くんはかわいそう」といわれてしまうと、遼は世界でたったひとりの味方もいないような気がして笑うことすらできなくなった。父が悪いとも、自分がかわいそうとも思いたくなかった。なにも知らない振りをしてくれる英之の前でなら、素直に好きなものにふれた喜びを表現することができた。

「ちゃんと計画立てような」

英之は遼の頭をぽんとなでる。遼は「うん」とカメラを手にしたまま頷いた。

なにを撮ろうかとあらためて考えたとき、英之の撮った、薔薇色の空が頭のなかを流れていった。いつも見ている空の違う顔を見せられて、気持ちが静かに高揚したことを思い出す。英之があの空を綺麗だと思って、ひとにもそれを見せたい一心で撮影したことが伝わってきた。あんなふうに自分にも伝えたいことがあるのだろうか。

僕の見ているものは――見せたいものは……。

その瞬間、これまでに自分が目にして、心を揺さぶられた情景が次々と頭のなかに浮かんでは消えていった。感情が濁流のように流れていく。無理やりに堰《せ》き止《と》めて、滞っていたものまでもがひとつ残らず押し流されていくようだった。澱《よど》んでいた濁りが消えていく。

いきなり目の前が拓《ひら》けたような気持ちになって、遼は涙ぐみそうになった。誰かになにかを伝えようと思うと、心の底からいままで知らなかった力がわいてくるような気がした。


水原家で過ごした一カ月のあいだに遼の心境にははっきりとした変化があった。

最初は父の元に早く戻らなければならないと焦っていたが、周囲にアドバイスされたとおりに父と離れることも必要なのかもしれないと考えるようになったのだ。

いま、父と一緒にいても、ふたりにとっていいことにはならない。

それまで見えなかった事実が、水原家で過ごすうちに少しずつ目に映るようになってきた。

英之のように他人でも、遼の気持ちをわかろうとしてくれるのに、父がそうしてくれないことを認めるのはつらかった。だが、病気のせいだというのなら、治るまで離れていたほうがいい。

それでも時折、父の「俺の子どもだ」という声を思い出すたびに胸が詰まった。ごめんね、お父さん、ごめん――逃げて、ごめん。

真夜中、涙で枕を濡らして目を覚ましたときには、こっそりと棚に置いてある8ミリカメラを抱きしめた。英之の寝ているベッドの脇に突っ立ってぼんやりと過ごす。

英之は深く寝入るタイプらしく、一度も気づかれたことはなかった。なにを求めているのかわからないまま、遼はその寝顔に見入った。

このうちの子どもになれたらいいなあ、と馬鹿みたいに考えることもあった。そうすれば英之と一緒にいつもカメラや映像のことを話していられる。笑いかけてもらえるし、やさしく頭をなでてもらえる。叶わないとわかっていたからこそ、夜のあいだは楽しい想像が膨らんだ。

水原家で過ごす時間がそう長くないことを、遼はつねに意識していた。父のところに戻るのか、それとも離れることができるのか——どちらに転ぶのかは最後までわからなかったけれども。

父が水原家に怒鳴り込んできたことは、迷いを断つ決定打になった。自分によくしてくれた水原家のひとに迷惑をかけるのがしのびなかった。階下に響く父の怒鳴り声を聞きながら、遼は初めて父を恨んだ。

翌日、母が迎えにきて水原家を去ることになったときも、覚悟していたから驚きはしなかった。英之が留守のあいだに出て行くのはつらかったが、却《かえ》っていなくてよかったとも考えた。もし、英之の顔を見たなら、きっと泣いてしまう。

お別れの手紙を書いているときには、かなしさよりも、感謝のほうが大きかった。一人っ子の英之にとっては年下の子どもが珍しくて、気まぐれにかまってくれただけだとしても多くのものを教えてもらった。

(僕にも、撮れるかな)

(——撮れるよ)

さわれないと思っていた8ミリカメラにもさわることができた。ほかのことだって、きっとできるはずだ。以前とは違う気持ちで、父に対するつもりだった。離れることは、自分のためだけではなく、父のためでもあるのだ。

田舎では母が祖母とともに住める新しい住居をさがしていた。しばらくは母と祖母の三人暮らしで、平穏な日々が続くかと思われた。だが、すぐに父に居所を知られてしまい、引っ越すことになった。父は離婚には同意せず、その影に怯えながら一年近くを過ごした。

やがて寝たきりの祖母が亡くなり、母に現在の義父となる親しい男性ができた。やさしいひとだったが、思春期に差し掛かっていた遼には馴染《なじ》めというほうが無理だった。

　遼が中学に上がった年、父が離婚に同意すると突然態度を軟化させた。離婚には、別居のときと同じく条件があった。「遼に会わせろ、俺の子どもなんだから」というものだった。

　母は最初その条件をはねつけたが、いいかげん離婚が成立しないことには疲れはてていた。喪が明けたら、懇意にしている男性と再婚したいと考えていても、父と離婚できない限りは無理だった。

　母が遼よりも、その男性に頼りきっているのは明らかだったし、また、経済的にも彼の援助なしには母子の暮らしは成り立たなかった。父と電話でやりあったあと、大きなためいきをついて考え込む母に、遼がかけてあげられる言葉はひとつしかなかった。

「お母さん。僕、お父さんに会うよ。会うだけでいいんでしょ？　お父さんがどうしてるか、僕も気になるし」

　母は首を縦に振らなかったが、「早く離婚したい」という願いは切実だった。母の気持ちを推し測って、遼も頑固に譲らなかった。最後には母が折れるかたちになった。

　父と別れてから二年近くが過ぎていた。傷つけられた記憶もすでに遠い。母が離婚したいと願っているのなら、それを叶えてあげるために父に会わなければならないと考えていた。どんな親でも親なのだから、父がどうしているか気になっているというのも嘘ではなかった。

　母からは、「お酒をやめたっていうけど、絶対に嘘。まだやめられないらしいわ。からだも壊して、このあいだも入院してたって」と聞かされていた。

　遼は父にはなにも望んでいなかった。母のために会うだけ、久しぶりに顔を見るだけだと自分にいいきかせていた。日帰りで、遠くにはいかないこと――それが母が父に突きつけた会うための条件だった。

雪がちらつく冬の日曜日、約束の場所に父は車で現れた。

黒いコートを羽織《はお》った父は、以前よりも顔色が青く冴え冴えとして見えた。明らかにやつれていたが、すらりと立っている姿はそれほど変わり果てたようにも見えず、到底酒を飲んで暴力を振るうような男には見えなかった。

父はしらふのときは、ことさら穏やかだった。あまりにもその落差が大きいから、遼はいつまでも父が病気だということが納得できず、「もう酒はやめる」という言葉を信じて何度も裏切られてきた。

「――遼」

父はやわらかな笑顔を見せた。どこか突き抜けたような笑みだった。

「大きくなったな」

いくら笑いかけられても、「お父さんは元気そうだね」ともいえなかった。母のいうとおり、父が酒をやめたとは信じていなかった。

自分によく似た面差しの顔を見ているだけで、得体の知れない不安が増大していく。だが、それは幼い頃から馴染んでいるもので、なつかしくすらあった。

「おまえはいつも薄着でくるから」

思ったとおりだ、と父は自分のマフラーを外して、遼の首に巻いた。記憶と同じ父の匂いが鼻をかすめた。

父は遼に車に乗るようにとうながした。

「どこ行くの？　あまり遠くには行けないんだ。お母さんから聞いてるでしょ？」

「いわれたよ。遠出するなってな。ここの近所で一緒にごはんでも食べて話をしろって。泊まるのも駄目だって」

「そう」

納得してるなら、と遼は助手席のドアを開けようとした。父は運転席のほうに回ることもなく、その様子を立ったまま眺めていた。父の顔は青白く、周りの風景に溶《と》け込《こ》むように澄んで見えた。

「――遼。遠くに行こう」

遼はドアにかけた手を止めた。父は身をかがめ、囁くように言葉を重ねた。

「お父さんと、遠くに行こう。お父さんには、もうおまえしかいないんだ」

瞬時にドアから手を離して、逃げるべきだった。だが、父のすがりつくような目を見たら、足が止まってしまった。

父は遼の腕をつかみはしなかった。ただその視線だけで、遼を釘付《くぎづ》けにした。幼い頃からどんなに望んでも、カメラを通すとき以外はほとんどじかに注がれることのなかった視線がいまは自分だけに向けられていた。

「お母さん、再婚したいんだってな。だから、俺は離婚に同意したんだ。お母さんはその男に幸せにしてもらえばいい。だけど、おまえは？」

母に親しい男性ができてから、遼がつねに心の底に漠然と抱えてきた不安を、父は鋭く突いてきた。

「おまえはどうするんだ？　居場所はあるのか？　俺はそれが心配だから、迎えにきたんだよ。なあ、遼――お父さんと遠くに行こう」

母が無事に再婚したら、もう自分がしてあげられることはないかもしれない。再婚相手にどれほどやさしくしてもらっても、厄介ものの子どもだという意識は消えないだろう。同じ不安なら、なつかしさが感じられるほうがまだましだった。

マフラーから香る父の匂いに、首をしめられるような息苦しさを覚えて、遼は後ずさった。逃げようとする息子を見つめる父の表情は、かなしいくらいにやさしかった。

「遼――おいで」

今度こそ父は立ち直ってくれるのかもしれない。自分がそばにいてあげれば……。

何度も裏切られたのに、遼は期待することをやめられなかった。それは不安と淋しさの裏返しだった。

あれほど周囲に駄目だといわれて、自分も納得したはずなのに、その瞬間、それらの声はなにも聞こえなくなった。

「お父さん——」

車に戻ったときの、父の淋しさにあふれた笑みを、遼は忘れることができない。歓喜の表情ではなかった。

父は自分が駄目になることを知っていたのだ。そして息子を不幸にすることもわかっていた。だからあれほどせつない顔を見せたのだ。

4

目覚めると、隣に英之《ひでゆき》の姿はなかった。

シャワーだろうかと考えながら、遼《りょう》はゆっくりと身を起こして、朝日に目を細めながらぼさぼさになった髪をかきあげる。

昨夜はセックスもしていないのに、からだがひどくだるかった。父のことを英之に話してしまったからだ。

一夜明けてみると、どうしてあんなことをいってしまったのだろうかと悔やむ。せつせつと聞かされても、決して心地よい話ではないだろう。

(父を見殺しにしたんです)

父が亡くなってから、周囲のひとにはさんざん「きみのせいじゃない、気にするな」といわれてきた。共依存の関係に陥《おちい》るのは、アルコール依存症の家族にはよくあることなのだと諭された。母にすすめられて、カウンセリングに通ったこともある。遼はそれらのアドバイスを聞き入れて、自らが前進するために父のことは忘れたつもりだった。

見殺しにした――。

いまだにあんなふうに考えていたなんて、英之に告白して初めて知った。

父と過ごした最後の日々――車に乗ったあと、一週間ほど転々と旅をした。母のところに連絡もいれず、逃亡者のような暮らしだった。ほんとうならば、そのままふたりで遠くに行ってしまうはずだった。

だが、結局、遼は最後の最後で父にはついていけなくなった。もう幼い子どもではなく、父だけを見続けるわけにはいかず、どこまでも一緒に行くことはできなかった。

最後に別れるとき、父は驚くほど静かに遼を解放した。車に戻ったときと同じく、せつない表情を浮かべながら「一週間、一緒に過ごせてよかった」と口にした。

半年後に、父は肝臓を患《わずら》い、ひとりで亡くなった。最後にもらったマフラーのぬくもりは、その後もじわじわと遼の心をしめあげた。

(遠くに行こう)

父は自分と死ぬつもりだったのか。それとも、今度こそ立ち直って、息子と暮らすという希望を最後まで抱いていたのか。

永遠に答えのでない問いを抱えたまま、遼は父の記憶を封じた。

ひとと関わって、感情がこすれあうような音を聞くのは、もうたくさんだった。だから母の再婚家庭には距離を置いているし、相沢《あいざわ》や映研の仲間は一番親しいとはいえるが、心のなかまでは入り込ませない。それでバランスを保っているつもりだった。

父に似ている自分が怖くもあった。どうしようもなく自らの内側ばかりを見つめ続ける、破滅型の人間。

その要素は、自分に色濃く受け継がれているような気がしてならなかった。

誰も好きにならない。深く関わらない。孤独になるのはいやだったが、カメラをさわっていれば気が紛れた。自分には映像がある。それでいいと思っていた。

英之に再会するまでは——。

寝室を出てみても、リビングにもキッチンにも英之の姿はなかった。綺麗に片付いた部屋には、あわてて出かけたような痕跡も残っていない。

昨夜は、朝早く出かけるような予定があるとはいっていなかった。それとも聞き逃したのだろうか。

まさかいきなり英之が消えるわけがないとわかっていても、遼はしばらく誰もいない空間を見つめたままその場に立ちつくした。

遼が父のことを話しているとき、英之はよけいな言葉を挟まずに黙って聞いていた。英之が両親の前ではそっけない態度の高校生だったこと、自分がカメラをさわらせてもらってうれしかったことを話したときだけ少し笑った。

話す前はあれほど苦しかったのに、いったん話しだすとどうしてこんな話をわざわざしているのか途中でわからなくなった。

だから、僕に関わらないほうがいい——と締めくくろうとしたものの、訴えていること自体があやふやになって、最後まで言葉が続かなかった。英之がほかの人間とつきあえばいいなどとほんとうは欠片《かけら》も思っていないのに、どうして望んでもいないことを口にするのか。

英之は「疲れただろうから今夜はもう休んだほうがいい」といって、遼に眠るようにと促した。逆らう気力もわいてこなくて、遼はベッドに横たわったが、ひどく神経が冴えていて眠れる気がしなかった。

英之は反対側を向く遼のからだを後ろからそっと抱きしめて、耳もとに精神安定剤のような声を吹き込んできた。

……今度、古い8ミリフィルムを一緒に見よう。実家に行けば、古い映写機があるから、昔と同じように観ることができる。遼が一番好きなフィルムを見せてあげるから……。

子どもみたいに甘やかされていることはわかっていたが、「やめてください」ということもできずに、遼は英之の腕のなかでじっとしていた。父のことを思い出したせいで眠ることなどできないと思っていたのに、ぬくもりにつつまれているうちにいつのまにか眠りに落ちた。

父が水原《みずはら》家に怒鳴り込んできた夜もそうだった。絶対に眠れないと思ったのに、英之のベッドに入ったらぐっすりと眠ることができた。

でも、今日は――目覚めたら、英之はいない。どこかに出かけているだけとわかっているのに、誰もいない部屋を見ていると、心臓の鼓動がだんだん大きくなってきた。

英之が離れていっても、なにも変わらないつもりだった。カメラをさわって、映像を撮っていれば、思い出のなかでいつでも一緒にいるような気分になれる。

そう思っていたはずなのに、この胸の動悸《どうき》はなんなのだろう。まるで怯《おび》えているみたいに、いつまでも鳴り止まない不安な音。

心臓が高鳴りすぎて、どうにかなってしまうのではないかと思った瞬間、玄関のドアを開ける音がした。

「――遼？」

買い物に行ってきたらしく、英之はコンビニの袋を下げて部屋のなかに入ってきた。遼は凍りついたように動くことができなかった。

「どうした？　ちょうど牛乳が切れてたから、買ってきたんだ。遼はコーヒーに牛乳入れて飲むだろ？」

英之が袋の中身を冷蔵庫に入れるのを見つめながら、遼は「ええ」とつとめて平静な声をだした。ゆっくりと深呼吸をしたらおさまるかと思ったのに、胸の不安な鼓動はなかなかおさまらなかった。

「……どこかに行ってしまったのかと思いました」

英之は驚いたように振り返る。

「行くって、どこへ？」

「僕が情けない人間だから、あきれられてしまったのかと……子どもみたいにあなたに甘えて」

普段どおりにしているつもりだが、自分がどんな表情を浮かべているのか自信がなかった。

英之は小さくためいきをついた。

「——もっと甘えればいいのに。俺はかまわない」

「僕はかまう。自分をコントロールできない人間になりたくない。父のようにはっ……」

平静を装うつもりが次第に感情が昂《たかぶ》って、声が詰まった。

英之は無言のまま静かな視線を向けてくる。遼は逃げるように目をそらした。

外はいい天気らしく、窓からは眩しいほどの光が差していた。これほど晴れやかな休日の朝に、相応《ふさわ》しい話題ではなかった。

よけいなことをいわなければ、今日はいつもどおりに英之が作ってくれた朝食を食べて、のんびりと過ごすはずだったのに、すべてが台無しだった。

もうこの話はやめましょう、といおうとしたとき、英之が遼の目の前まで足を進めてきた。

「——遼。俺はどこにも行かない。ここにいるよ」

立ちつくしている遼の手を、英之は手にとって握った。思いがけない言葉に茫然とする。

「ここにいるから。安心していい」

足が震えて、いまにも倒れてしまいそうだった。英之が遼の腕を支えて、ソファへと連れていく。うながされるままに腰掛けた途端、はりつめていたものが切れてしまった。

遼は額に片手をあてて嘆くようにうつむいた。

「安心は……できません。信じたものが壊れるのは、もういやなんです」

英之は遼の額の手をつかむと、すでに握っているもう片方の手と一緒に握り合わせる。

「遼——壊れないものは、ないんだよ」

ひどく穏やかにいいきられて、遼は愕然《がくぜん》とした。握られた両手には痛いほどの力が込められている。

「それはないんだ。どんなものでもいつかは壊れるし、なくなってしまう。父が俺にくれた8ミリのカメラはもう使えなくなったし、8ミリは古いメディアだからフィルム自体がそのうちに生産終了になって、いつかはあの味のある映像は撮れなくなる」

　静かな声だったが、ところどころ昂っているような語調が、たしかな熱を伝えてきた。

「自分で意図しない予定外の出来事だって、いくらでも起きる。俺がなんの親孝行もできないうちに母を亡くしたように――遼のお父さんが亡くなったように。それは仕方ないんだ。どんなに怖がっても、どうしようもない」

「…………」

　うろたえて目をそらそうとする遼の顔を覗き込んで、英之は微笑みかける。

「だけど……壊れないように大切にすることはできる」

　耳に溶《と》け込《こ》む声は、頭のなかに直接響いてくるのではないかと錯覚した。

「――俺はきみを大切にしたい」

　部屋に差し込んでいる陽の光が強く目を刺した。視界が一瞬真っ白になるような感覚に瞬きをくりかえしながら、遼はのろのろと首を振る。眩しすぎて直視できなくて、唇から苦い笑いが洩れた。

「あなたは……幸せなひとだから……そんなことが……」

「俺が？　たしかに不幸だと思ったことはないけど、うちだって円満家庭ってわけじゃない。遼には面倒見のいいやさしいおじさんに見えただろうけど、親父は悩みの相談にのってるうちに相手にのめりこんで不倫して家に帰ってこなかったこともある。母は明るいひとだっただけにショックが大きくて、しばらくは病院に通ったぐらい悩んでた。……だから、俺はずっと親父を許せなくて、最近までろくに口もきかなかったんだよ。うちがなんとか壊れずにすんだのは、母がそうやって隠れて病院行ったりしながらも、決しておおっぴらには愚痴をいわずに、いつも明るく笑っててくれたからなんだ。俺は最後まで『もう大人なんだから、お父さんと仲良くしなさいよ』って心配させたままで……」

二年前に亡くなったと聞いているのに、いまだに母親のことを語るのはこたえるらしく、英之はいったん言葉を切った。

「俺はきみで後悔したくない。だからここにいる。いやだっていっても離れない」

遼はなにをどういっていいのかわからなかった。つながれている手から伝わってくる熱がそのまま心に流れ込んでくるようで、目許がかすかに熱くなる。鼻の奥がつうんと痛くなるのはなぜだろう。

なにか一言いったら泣いてしまいそうなのに、黙ってもいられなかった。大好きな8ミリカメラを初めてさわらせてもらったときのように。

「……物好きなんですね」

「そうかもな」

英之は小さく笑った。一緒に笑おうとしたが、口許がゆがんでうまくいかなかった。

泣きそうな顔をしているとわかっているくせに、英之は子どもの頃と同じようにそのことについてはなにもふれずに、穏やかな眼差しで遼を見つめた。

「チャンスをもらったって思ってるんだ。俺はきみを覚えてた。たった一カ月一緒に暮らしただけだけど……その男の子のことをずっと覚えてた。なんで再会して、きみに惹かれたんだろうって考えたら、遼をもう一度抱きしめるチャンスをもらえたんだって——そういう答えが自然にでてきた」

先ほどから部屋を白く染め上げている眩しい光が、英之の髪を透かしていた。逆光に照らされた輪郭《りんかく》はいまにも空気に溶けてしまいそうだった。

つながれた指さきの熱。

もしも、自分がカメラを回すのなら、これほど幸せそうな光景はないだろうと思った。そんな場面に自分が存在していることが信じられなかった。

「一緒に暮らそう。ここに越しておいで。いまだって、ほとんど毎日きてるようなものなんだから、かまわないだろ。いい機会だから、引っ越してくればいい」

遼は返事ができなかった。英之は「遼」と手を引いて、もう一度その顔を自分のほうに向き直させる。

「明後日から卒業旅行だろ？　その後で考えてくれればいいから」

5

香港《ホンコン》を経由して、成田《なりた》からバンコクに着くまで五時間ほどかかった。

三月初旬とはいえ、タイの気候は日本の夏と変わらなかった。日本よりも湿度がないぶん、カラッとしていて過ごしやすい。タクシーで市の中心部に向かう際、車窓から見える風景には高層ビルも目立つが、気候のせいか日本の都市よりも一段明るい色のフィルターをかけられているように晴れやかに見えた。

タイに行ったことのあるひとからタクシーの料金に気をつけろといわれていたが、空港からホテルまででもすでに適正料金ではない金額を請求されていたことに、部屋に入ってから気づいた。メーターはついていたが、動いてなかったのだ。

遼《りょう》は飛行機でずっと寝ていたために、いまいち頭がはっきりしなかったが、相沢《あいざわ》と溝口《みぞぐち》が「畜生」と悔しがっている様子を見て、ようやく海外にいるのだと実感できた。

外に比べて、ホテルの室内は冷房が寒いくらいに効いていた。三人で泊まるとなると、ツインに予備ベッドの部屋になるので、誰がそこで寝るのかじゃんけんで決める。相沢がハズレのベッドで寝ることになった。

溝口は途中から映研に入ってきて、遼とはさほど接点がなかったのだが、相沢が親しくしているので、去年あたりからよく話すようになった男だ。アクション映画が大好きで、いつも誰かが飛び跳ねているような映像を撮るのが特徴だった。

「なあ、フロントにいたの、日本人ばっかりだったな」

「若いやつ多かったしな。なんかタイにきた気がしねえ」

この時季はどこでも卒業旅行らしき大学生たちであふれているらしい。

「……おい、あいつ、タクシーからずっと黙ったままだけど、起きてるのか？」

溝口に声をかけられて、相沢がベッドに座り込んでぼーっとしている遼の目の前で手を振ってみせる。

「笹塚《ささづか》。もう着いてるんだけど、理解してるのか？タイだぞ」

うっとうしい手を、遼は眉をひそめて振り払う。

「――わかってる。さっきジャンケンに参加したろ？」

「だって、おまえの第一希望のタイにきたっていうのにさ。もっとうれしそうな顔しろよ。『わーい』と叫べとはいわないけどさ」

遼がためいきをつきながら「……わーい……」と両手をあげてみせると、相沢と溝口はそろって「やる気のないやつ」と非難した。

その日は市内にある有名な寺院を見に行った。きらびやかな装飾をほどこされている寺院は、建築的にも見ごたえがあったが、当然のことながら撮影は不可だった。

英之《ひでゆき》がタイにきたときには、どこを撮ったのだろう、と考える。寺院がだめなら、市中の風景だろうか。

日本の仏教は、出家したものだけでなく在家信者も救われるという大乗《だいじょう》仏教だが、タイの仏教は出家して悟りを開いた者だけが救われる上座部《じょうざぶ》仏教だ。成人の通過儀礼としての一時出家のシステムもあり、街中で木綿の黄衣《こうえ》を身にまとっている僧侶《そうりょ》の姿をよく見かける。

どの風景を見ても、英之もここを見たのだろうか、と考えてしまい、純粋な興味としては集中できなかった。どうかしてる、と相沢たちに気づかれないように遼はこっそりと頭を振る。

一緒に暮らそう――そういわれても、どう答えていいのかわからなかった。たしかに英之のいうとおり、いまもしょっちゅう訪ねているのだから、そうしてもかまわないように思えた。でも、自分の部屋があるまで、英之のところに通うのと、一緒に住むのではやはり違う。いままではなにかあったら、自分の部屋にこもればよかった。雑多ながらも自分の法則で配置されたものに囲まれて眠り、規則正しく食べる朝食の甘いもの。それらの秩序は遼の心に安定をもたらしてくれた。

だけど、それがなくなってしまったら……?

ひととおりの観光を終えて、夕食はテーブルのある屋台でとった。道の傍《かたわ》らには露店がずらりと並んでいる。夕闇に街が包まれても、通りを歩くひとびとの活気と屋台を照らす灯《あ》かりが眩しくて、目がちかちかとした。

歩きっぱなしだったので、通りの店を見て回る気にはならなかった。体力のある溝口だけが元気で、ちょっと歩いてくる、と席を立つ。

残された遼と相沢は、ガイドブックと地図を開きながら、明日巡るルートを確認した。

「相沢、彼女と住む部屋決まったのか」

「ん?　ああ、まあぼちぼち――いくつか見たけど」

「そうか……」

遼の顔色から、相沢はなにか感じ取ったらしかった。

「笹塚も引っ越すのか？」

「いや……そうじゃないけど」

「――あのひとのところ？」

あのひと、が誰を指しているのかわからなくて、遼は口許をこわばらせる。相沢はふっと笑った。

「ごまかさなくてもいいよ。あのひと……水原《みずはら》さんと、一緒に暮らすんだろ？」

「なんで……」

「笹塚を見てたら、わかるよ。あのひとと会ってから、少し変だし……おまえがひとのこと気にしてるの、初めて見たしな」

「僕が変になった？」

「いや、前からおまえは変なところあるんだけどさ、そういう意味じゃなくて――雰囲気が変わったというか。山内《やまうち》とかも似たようなこといってたし。溝口だって、一緒に旅行にきただろ？　前だったら、おまえのことちょっと苦手だったのにな」

たしかに人間関係には深入りするまいと思っていたはずなのに、英之にだけは積極的に関わろうとしたのだから、変化といえるのかもしれなかった。それがほかにも影響しているということか。

「まあ、あのひとに会ってから急にってわけでもないんだけど――だいたい俺に最初に会ったときと比べても、だいぶ変わったもんな」

「……そうかもな」

相沢と最初に親しくならなかったら、映研のほかの人間ともさほど関わりあいにならないまま過ぎてしまったかもしれなかった。そういう意味で相沢が大切な友人であることは遼も承知していた。

「笹塚さ、俺を振ったことを悪いと思って、水原さんとのこと、隠してるつもりなのか？」

「そんなんじゃない」

知られたくないと思っていたのは事実だが、どうしてなのかは理解していなかった。

相沢はうんざりしたようにためいきをつく。

「やめてくれよ。ちゃんと振られてるんだから。変な気の遣い方するの。もうなんとも思ってないよ、こっちは。一時の気の迷いだったんだから」

「気を遣ったつもりはないよ」

「そうだろうな。笹塚にそんなことされると、気持ち悪くて落ち着かないんだよ」

ずいぶんないわれようだったが、相沢が自分たちの関係を気まずくしないためにそういってくれていることはわかっていた。

「……ほんというとさ、あのひとのこと最初は気に入らなかったんだけど——俺はおまえの一番の理解者のつもりだったから。だけど、おまえにとってはいいことなんだろうし。俺はおまえの映像が好きだしな。これからも……見ていくし」

これからも良い友達でいてほしい。相沢がそういう答えをだしたというのなら、自分もそれに合わせなければならなかった。

「気持ち悪いなら、もうやめるよ。二度と気を遣わない」

しんみりとした気持ちを隠して、遼が思いきり不機嫌に返すと、相沢は「おう、そうしてくれよ」と笑った。


翌朝、遼は朝早くに起きて市内を散策した。ひとりで見に行きたい寺院があったのだ。

安宿がたくさんある通りの近くにその寺院はあり、バンコクの旧市街の中心にもかかわらず、厳《おごそ》かで静かな佇《たたず》まいを見せていた。

早朝だったからか、正門は締め切られていたが、線香やら花がたくさん置かれ、ひざまずいて祈念するひとびとの姿もあった。

英之が読んだ本に出てきた寺院だった。ここは当然のことながらきたのだろう。どんなふうに目に映ったのだろうと考えながら、門の向こうにそびえたつ仏塔に目を細めた。

こうして初めて見る風景のなかに身を置いていると、いつもの自分がどこか遠くに感じられる。父のことも――英之のことも、なにをあれほど悩んでいたのだろう、という気持ちになってくる。いまは旅行で気分が違うものになっていて、日本に帰ったら、またあれこれと考えるはめになるとわかっているのに。

通りで黒い鉢をもった僧侶の一群と遭遇した。薄暗いなかに、黄色の袈裟《けさ》が目にも鮮やかだった。市場の通りに出ると、ちょうど街角で托鉢《たくはつ》しているところを見ることができた。僧侶のもった鉢《はち》のなかに、信者たちがその日一日分の食事をサイ・バート（施し）として与えていく。

信者は手にもった容器から鉢のなかに食べ物を入れると、僧侶を深々と手を合わせて拝む。対して、僧侶は一礼もせずに無言のまま去っていく。自分の代わりに修行している僧から得をもらうという考え方のため、施しを与えるほうが頭を下げるだけで、僧侶は礼をいわない。

本を読んだときにはそのへんも含めてあまりタイの仏教に馴染《なじ》めなかったのだが、実際に目にしてみると、無言のまま施しが行われる様子はひどく厳粛で、何気ない日常の一コマのなかにそれらが溶け込んでいることに目をひかれた。英之はおそらくこの風景を記録したに違いない。

自分もサイ・バートを体験してみたくて、遼は市場の通りですでに開いている屋台で朝食を買って、僧侶を拝むひとびとのなかに紛れた。若い僧侶は明らかに観光客である遼を見てもなにもいわずに、施しを受けた。食事を鉢のなかに入れてから、遼もほかのひとに倣《なら》って両手を合わせて拝んだ。

やはりなにも得をもらったという気はしないし、英之のように人々の生活のなかに仏教の教えが根付いていることに感動したりもしないのだが、普段自分がしないことに目を向ける新鮮さはあった。自分以外の人間のものの見方を知る楽しさ。英之なら、こういう場面はどの角度から撮ったのだろうか——と、頭のなかでフレームにおさめる構図を考えていることに気づいて苦笑する。

　飛行機のなかでは旅行するような気分ではないと思っていたが、こうして英之も同じ風景を見たのだろうかと考えながら街中を眺めていると、思わぬ興味がわいてきて引き込まれていった。離れているのに、そばにいるような気がする。彼が見た世界に目を凝《こ》らす。

　この感覚は初めてではなかった。ひとりではない。同じ風景を見ている。誰かに伝えたい。そう感じるのは。


　父と最後に過ごした日々は、まるでレンズにブルーのフィルターをかけたように静かな時間として心の一番深い底に記憶されている。

　車に乗り込んだときは、一緒に遠くに行くつもりだった。

　母のそばに、遼の居場所はなかった。親しい男性と再婚してしまえば、おそらく厄介者にしかならないだろう。自分は母にとって顔を合わせるのも嫌いな男の息子なのだから。

「遼……ごめんな。淋しかったろ？　これからはお父さんがずっと一緒にいてやるからな」

　遼は助手席で「うん」と頷いた。たしかに淋しかったが、父と一緒にいるともっと淋しくなることもわかっていた。

　だが、父にとっては遼が孤独を癒す存在なのかもしれない。自分で役に立つのならと、そばにいることを選んだ。

「遠くに行こう」という意味はわかるようでわからなかった。誰も知らない土地に引っ越してふたりで暮らそうと解釈もできたが、父が酒をやめたとは信じていなかったから、辿り着く先はこの世で一番暗い場所に思えた。

どこか感覚が麻痺していた。ふたりで暮らしていたころに刷《す》り込《こ》まれたもの――「お父さんは僕がそばにいてあげなきゃ駄目になる」。その呪縛は再会してから一瞬にして遼の心をとらえて離さなかった。

「お父さん、どこに行くつもりなの？」

「遼の好きなところでいいよ」

父は自分の真意を語らなかった。東京の家に向かっているのではないことだけはたしかだった。

車は北上した。父は一日のうち午前中だけ走ると、昼頃に辿り着いた場所をその日の宿と決めた。どこが目的地かもわからない、気ままな旅だった。

海沿いの街を転々とする日々は、それなりに楽しいこともあった。もしかしたら父は自分を連れて死ぬつもりなのかもしれない。そんな不安が胸中にあるにもかかわらず、ふたりでいろいろな名所を巡り歩いたり、美味しいものを食べたりして、日の高いうちは普通の旅となんら変わりがなかった。

ただひとつ違うのは、目にする風景がどれもこれもまるで一枚余分なフィルターを通したように遠くに見えることだった。見えない壁に隔《へだ》てられている気がした。父とふたりで見る風景は、ひどく美しく、胸を絞られるように心に染《し》みてくるのに、決してふれられない距離を感じた。

自分が現実でない存在のような気すらしてくる。不思議な感覚にとらわれるうちに、遼はいつのまにか父と同化していることに気づいた。この冷たく冴えたやるせない世界は、父がいつも目にしているものだったた。

海沿いの道路をひたすら走り続けた。海は古来から死の象徴――父がそれを意識せずに海岸線を走っているとは到底思えなかった。日が翳《かげ》り、夜の帳《とばり》が下りる頃になると、静かな波音と闇色の海中が父を呼んでいるような気がしてならなかった。

「お父さん、どこに向かってるの？」

何度目かにそう聞いたとき、父は困ったように笑った。

「どうしようか……俺は、遼が一緒にいてくれるならどこでもいいんだよ」

宿は民宿やビジネスホテルだった。最初の数日は何事も起こらなかったが、五日目を過ぎた頃、父が夜中に部屋を抜けだして出かけていくことに気づいた。遼は声をかけることができなかった。

父は朝になると、酒のにおいをさせてベッドに横たわっていた。いまはまだ遼に隠れて飲んでいるつもりだろうが、近いうちに平気で目の前で飲むようになる。また罵声と暴力がはじまる。

断酒できているとは信じていなかったから驚かなかったが、静かな絶望が遼をゆっくりとつつみこんだ。死すら覚悟していたのに……どこかで父が立ち直ってくれるかもしれないという望みを捨て切れなかったのだ。自分がそばにいる限り、父が甘えて酒を断てないことは明白だった。

その夜も、父は真夜中になると部屋を出ていった。遼はベッドのなかでやはり呼び止めることができずにそれを見送った。

一睡もできなかった。窓ぎわのベッドに横たわったまま、身じろぎひとつせずに天井を見上げていた。母のもとに戻るなら、父が帰ってくる前にこの部屋を出なければならない。どうしようかと迷っているうちに夜が明けてしまったらしく、遮光カーテンの隙間からわずかに光が洩れてくるのが見えた。

遼はベッドから起き上がり、窓辺に近寄った。カーテンを開けると、大きな窓から冬の夜明けの空が見えた。まさにいま、夜が終わり、朝がはじまろうとしているところだった。

凍りつきそうな空気のなかで、消えてゆく闇に覆いかぶさるように朝日が広がり、交じり合う。幾重にもなった色彩が溶け合いながら、上空を鮮やかな薔薇色《ばらいろ》に染めていく。その光景は美しく、見るものの心の目を射貫《いぬ》いた。

薔薇色の空——英之のフィルムで見て知っているのに、実際に目にするのは初めてだった。心まで染め上げるような深い色合いに見惚れて、遼の瞳が揺らいだ。

いま、この手にカメラがあればいいのにと思った。静かな興奮につつまれているあいだ、遼は父のことも、その他の憂鬱《ゆううつ》もいっさいを忘れた。目に映るのは、美しい空の色だけだった。

(——僕にも、撮れるかな)

(撮れるよ)

なぜだかわからないが、そのやりとりがふっと浮かんできて、涙がこぼれた。

まだ知らない空の色がたくさんある。そう考えたら、涙は次から次へとあふれてきて、止まらなかった。

薔薇色の空を見上げながら、遼はベッドに横たわり泣きながら眠った。

初めて英之に8ミリカメラをさわらせてもらったときに、心の底からわいてきた奇妙な力を思い出す。これでなにを表現しようか、なにを伝えようかとわくわくした気持ち。

次に目覚めたときにはすでに昼を過ぎていて、父が心配そうに遼を見下ろしていた。父と目が合った途端に、また涙がこぼれた。

「……遼?」

父の呼びかけに、遼は涙をふきながら起き上がった。

「どうしたんだ? なんで泣いてる? もうチェックアウトの時間をすぎてるから……延長してもらったけど。早く行こう」

「——どこへ?」

何度もくりかえされたやりとり。父はいつものように曖昧《あいまい》な笑いを浮かべたが、遼のまっすぐな視線を受けて、その目が揺らいだ。再び瞳が熱く潤むのを感じながら、遼はかぶりをふった。

「……行けない」

父はわずかに目を見開いた。遼は泣きながら声を振り絞る。

「僕はもうお父さんとは一緒に行けない」

「……どうして？」

父は身をかがめて遼の顔を覗き込んだが、どこかで予期していたのか、さほど驚いたふうではなかった。

「お父さんとずっと一緒にいてくれるんじゃないのか……？」

「ごめんなさい……」

遼は泣きながら何度も首を振った。父は「そうか」とひっそりと呟いて、遼のからだに腕を回してきた。

「もう一緒にいてくれないのか……」

遼を責めているわけではなく、しみじみと感じ入るような声だった。お別れだな――耳もとに囁《ささや》かれた言葉はかすれていた。

「一週間、おまえと一緒にいられて楽しかったよ」

そう告げる父の顔は、かすかな笑みを浮かべていた。淋しそうだったが、すべての力が抜けきってしまったように、父は不思議と穏やかに遼を見つめていた。


その後、父はすぐに母に電話をかけて、遼と一緒にいることと場所を告げた。母が迎えにくる前に、父は車で去った。「じゃあな」とまたすぐに会えるようなそぶりで手をあげて部屋を出ていった背中が忘れられない。

それが父の姿を見た最後だった。

6

四泊五日でタイから帰ってきたあとは、自分のアパートの部屋で一日中寝ていた。

翌日、夕方になってようやく目を覚まして携帯を見ると、英之《ひでゆき》からの着信とメールがあった。

メールには「帰ってきたのなら、連絡をよこすように」と書かれていた。遼《りょう》は少し考えてから「すいません。寝てました。みやげを渡すので、そちらに行きます」と返信した。

正直なところ、英之にまだ会いたくなかった。なにをどういったらいいのかわからなかったからだ。旅行中も英之のことばかり考えていた。一緒に暮らせば、それをこれほど考えなくてもすむかもしれないから、それを理由にOKと答えようかと思ったほどだった。


メールを送信してしばらくすると、英之から電話がかかってきた。

『寝てたって？　もう元気？』

「まあまあってところです」

英之の話し方もいつもどおりだし、自分の声も震えなかったことに安堵した。

『タイは楽しかった？』

「ええ……まあ」

歯切れの悪い答えになったのは、楽しかったといえば楽しかったが、考えごとがあったせいでいまいち集中しきれなかったせいだ。

「――実をいうと、よくわからなかったんです」

『わからないって？』

「英之さんのことばかり考えてたから。どこを見ても、あなたはここを見たのかな、カメラで撮ったのかなって考えて。――卒業旅行なのに、台無しです」

電話口で英之はおかしそうに笑った。

『そういう苦情は、俺にいわないでほしい』

「そうですね。僕が悪いんだ。一緒に行ったやつには、ぼんやり考えてると、何度も『ちゃんと起きてるのか?』ってからかわれるし……ちょっと愚痴りたかっただけです」

しばしの沈黙のあと、英之が息をつくのがわかった。

『よかった。元気になったみたいだな』

「僕はいつも元気ですよ」

旅行中、父と最後に別れたことを思い出しても、不思議と取り乱すことはなかった。父はあのとき遼が自分から離れていくことを決して責めはしなかった。

あまりにもつらくて、ろくに振り返ることもなかったから、「見殺しにした」と思い込んでいたが、父は実際には遼が一緒に遠くに行くことなど望んでいなかったのではないか。そばにいてくれたらいいと願っていただろうけれども——その証拠に、母にすぐに連絡をとった。

でも、自分はあのとき、父が淋しいのならどこまでも一緒に行く覚悟でいた。あの薔薇色《ばらいろ》の空を見るまでは……。

『元気なら、見せたいものがあるんだけど、俺の実家にこないか。親父《おやじ》も遼の顔を見たがってるし』

意外な申し出に面食らいつつも、遼は了承した。

三十分後には英之が車で迎えにきてくれたので、そのまま水原《みずはら》家に向かった。突然のことなので少し緊張したが、なつかしい街並みを目にしているうちに気分も和らいだ。

「——遼くんか」

玄関で出迎えてくれた英之の父親の水原は、遼の記憶にあるよりもだいぶ年をとったように見えた。ランドセルを背負ったまま校門で水原の車に乗り、この家にやってきたのはつい昨日のことのように思えるのに。

「お久しぶりです」

「見違えたたな、立派になって」

水原のひと好きしそうな笑顔は昔のままだった。家のなかの様子も、記憶にあるのとさほど変わらないように見える。だが、水原の妻の仏前に焼香したとき、時の流れを強く感じた。

水原は息子と遼のために、夕飯の用意をしてくれていた。キッチンから皿を運ぶのを手伝いながら、英之は鍋の中身を覗き込み、「また肉の煮込みがつくってある」と笑う。

「父さんのは、母さんと違って味つけが濃いんだよな」

「文句いうな」

夕食時にタイに卒業旅行に行った話をしたら、水原も行ったことがあるらしく、盛り上がった。子どもの頃にはほとんどしゃべった記憶はないのに、こうして英之や水原と食卓を囲みながら話すのになつかしさを覚えるのはなぜだろう。記憶というものは、少しずつ自分の思い込みたい方向に改ざんされているものなのかもしれない。

団欒《だんらん》のあとで、遼は二階の部屋に連れて行かれた。水原家に預けられたとき、一カ月間寝起きした英之の部屋だ。英之が実家を出たあとも片付けたりはしていないようで、当時のままだった。部屋に一歩足を踏み入れた瞬間、タイムスリップしたような気持ちになったのは、本棚にシーツがかけられていて、映写機がセッティングしてあるからだった。

真夜中にふたりきりで開いた上映会を思い出す。あの時間はまるで魔法をかけられたみたいにやさしかった。

「見せたいフィルムがあるんだ。DVDに移したやつでもよかったんだけど……やっぱり8ミリで見たほうがいいだろうと思って」

最初のときに見せてもらったフィルム――あの薔薇色の空が脳裏をかすめた。

「空のやつですか?」

「ああ……あれも見たい?」

英之は学習机の一番下の引き出しを開けると、目的のフィルムを取り出した。英之らしく、すぐわかるように整理してあるらしい。あんなふうにしてきっちりと自分の絵コンテも手紙もとってあったのだろう。

「どうだ？　はじまってるか？」

水原も二階にあがってきて、部屋の戸口に立った。英之はフィルムをリールにセットすると、部屋の灯《あ》かりを消す。

シーツのスクリーンの上に、なつかしい映像が流れはじめた。十二年ぶりに見るフィルムを、遼はじっと凝視する。父と最後に別れた朝の薔薇色の空が頭のなかに広がった。英之のフィルムも、自分の記憶のなかの空も、目に染《し》みる色だった。

泣きたいような気持ちにはなったが、耐えられない痛みではなかった。そしてこの痛みは、自分が一生背負っていくものだった。

「僕は……この薔薇色の空の映像が大好きなんです」

英之は「そうなの？」と意外そうに振り返った。中学生のときに撮影したものなので、単純に綺麗だからといって空を撮影するなんておもしろみがないと考えているらしかった。

「なんでそんなに気に入ってる？」

「あとで話します」

空の映像が終わると、今度が本命とばかりに英之はすぐにべつのフィルムをセットした。「今度はなんだろう」と次の映写を待っていると、英之がいいにくそうに告げた。

「——笹塚《ささづか》さんと遼が映っているフィルムだよ」

遼は返事に詰まった。英之はなだめるように笑いかけてきた。

「見たくない？　俺もずっと迷ってたんだけど……遼がタイに行っているあいだに、ひとりでここにきて、見てみたんだ。親父にもいろいろ話を聞いた。それでやっぱり遼にも見せたほうがいいと思ったんだ。いやなら、やめるけど」

「——いいえ」

即座にかぶりを振った。

少し前までは思い出すことすら怖かったが、無理に封じ込めたりしないほうがよいのだと悟った。父を忘れるのではなく、きちんと向き合ってから前に進んだほうがいい。

相沢《あいざわ》は遼のことを変わったといった。英之に出会ってからだけではなく、流れていく時間のなかで、ゆっくりと変化は訪れていたに違いないのだ。

遼はあらためて息を呑んで、スクリーンを見つめる。見覚えのあるモノクロのフィルムが流れはじめた途端、目を離せなくなった。

日当たりのよい部屋の窓ぎわに、若き日の父が立っていた。細面の顔には涼やかで、やわらかい笑みを浮かべている。父に見つめられて、幼い頃の自分が踊っていた。テーブルの上に置いてあるレコードプレーヤーから流れる曲に合わせて、下手くそなリズムをとっている。

父は終始穏やかな表情をして、遼だけをじっと見つめている。幼い遼は父の微笑みに応《こた》えるように笑いながら、懸命にからだを揺らしていた。

あの頃から父には近づきがたい気持ちをもっていたはずなのに、映像のなかで踊っている遼は無邪気そのもので、ひたすら一心に父だけを見つめていた。記憶にあるよりも、父の表情はやさしかった。こんなふうに目を細めて笑う父を見たことがなかった。遼が覚えている父の笑顔にはいつもどこかすり抜けていくような淋しさがつきまとっていたから。

「笹塚は——きみがほんとにかわいくてたまらないと話してたよ」

水原が戸口に立ったまま、フィルムを眺めながら遼に語りかけてきた。

「これほど子どもにはまるとは思わなかったって。あいつはきみの写真やフィルムをたくさん撮ってたろ？　撮るのが好きな連中のあいだでもあきれられるほど、並外れた量だった。あれがあいつなりの精一杯の表現だったんだろうな。……詳しく聞いたことはないけど、笹塚は家族の縁が薄かったみたいだから……。あいつはあまり本音を語らないやつで、友人としてはや

きもきするところが多かったけどね。……きみのことを自分にそっくりだっていってた。これで、もうひとりじゃないって」

父はどういうつもりでそんなことをいったのか。自分そっくりの息子をいったいどうしたかったのか。

「水原さん……この撮影のときに、部屋に流れてた曲って覚えてますか？　父に聞いても、教えてくれなかった。『俺の一番好きな曲だ』っていってたけど、『音はなくていいんだ』って」

「そのとおりだよ。音はないんだ」

「撮影のとき、曲は流れてなかったんですか？」

「流れてたよ。でも、聞こえないんだ」

返答の意味がわからずに、遼は首をかしげながら振り返った。

「それが撮影するときの、笹塚の解釈だったんだ。『一番好きな曲が流れてる。でも、いまの自分にはなにも聞こえない。目に映るいとしい子どもだけが世界のすべて――』。一緒に撮影した連中で、『どんな親馬鹿だよ』ってからかったから、よく覚えてる」

「――」

「だから、そのフィルムからはなにも聞こえなくて、正解なんだ。曲名は覚えてるけど、きみに教えることに意味はない」

遼は震えながらスクリーンに向き直った。

ずっと父に聞きたいことがあった。いったいどんな思いで、自分のことを見つめていたのか。

だからこのモノクロのフィルムの映像を真似して撮影をした。父の心が見えてくるのではないかと考えたからだ。つかみどころのない笑顔を見せながら、あのひとはいったいなにを考えていたのか。自分によく似ている遼を愛していたのか、憎んでいたのか……。

父のほんとうの声が聞きたくてたまらなかった。

実際にこのフィルムを見ても、なにが読みとれるわけでもなかった。父は微笑んでいるだけで、遼に言葉をかけてくれているわけでもない。

ただひとつはっきりしているのは、フィルムのなかで父はとても幸せそうだった。これまで自分が目にしたことのないほど穏やかで満ち足りた顔をしていた。そんな父に見つめられて、幼い自分は喜びいっぱいをからだで表現するように踊っていた。

追い求めてきた答えには、正解などない。この映像のなかで自分だけが感じとれればよかった。それで充分だった。

それ以上いまさらなにを願う――？

音もなく頬を伝うあたたかいものを感じとった瞬間、嗚咽《おえつ》が洩れた。身を二つに折って泣き伏した遼の背中に、英之の手がそっと重なった。

その週の終わり、後輩の山内《やまうち》の初監督作品の撮影がスタートした。

遼に指摘された箇所を中心に、山内は脚本を書き直してきた。昔バイトしていたカフェの店長に協力してもらえることになったらしく、その店のロケと室内の撮影ですむような話に変更されていた。

駅から少し離れた高台の住宅街のなかにあるカフェで、開店前の十一時までならテラスのテーブルを自由に撮影してもいいとのことだった。

「笹塚さん。水原さん、この場所わかってるんでしょうか？」

山内が時計を見ながらはらはらした様子を見せる。

今日は役者として英之も参加することになっていた。遼としてはほかの人間の作品に英之が出演するのは気に入らなかったが、先を越されたのだから仕方がない。

「地図送ったんでしょ？」

「送りましたけど……ちゃんとくるかなあ」

山内にとっては、今日の撮影で「英之がちゃんとくるかどうか」が最大の心配で関心事らしい。

遼はぼりぼりと頭をかきながら、コンテをめくった。今日は遼がカメラを回すことになっていた。ファインダーを覗きながら、コンテに描かれている画が撮れるかどうか、カメラを固定する三脚を置く位置を確認する。

初心者はビデオのほうがいいといったのに、最初でもっと最後になるかもしれないし、お金がかかってもいいからと山内が8ミリにこだわったので、フィルムで撮ることになった。ノイズの多い画面に憧《あこが》れているらしい。

高台はロケーションとしてはいい舞台だが、あいにく少し曇り空なので、空を背景にしてしまうと灰色がかったどんよりした画になってしまう。フィルムだと屋外でも光源をいろいろと考えなくてはいけないから厄介だった。

撮影までに晴れてくれればいいのにな……と思いながら、遼はカメラの位置を決めた。

「監督さん、この位置でいいのかな。指示して」

「……やだあ、笹塚さん。意地悪しないで、うまいことやっといてくださいよ。わたしが笹塚さんに指示できるわけがないじゃないですか」

「うまいことっていったって……」

ブツブツいいながら遼は機材をセッティングする。

溝口《みぞぐち》がひょいと遼を覗き込む。

「今日、相沢《あいざわ》こないの？」

「引っ越しの準備で、段ボール箱ひっくり返してるような状態だから無理しなくてもいいっていったけど」

「うわあ、山内かわいそう。相沢のほうがやさしーのに」

「なんで」

遼が不機嫌な顔を向けると、溝口は笑いながら山内に声をかける。

「山内さーん。今日はうるさいのがカメラ回すから大変だよー」

周囲がどっと沸くなか、遼は眉間《みけん》に皺《しわ》を寄せながら黙々とセッティングを続けた。

「あ、きたきた。こっちですー。迷いましたか？」

駅の方向から英之が歩いてくるのを見つけて、山内が手を振る。寝坊した、とはいっても、約束の時間の五分前だった。

　山内が書いてきた脚本は、カフェに謎めいた素敵な男が現れるラブストーリーだった。男はなぜか主人公の女性のことをよく知っていて、落ち込んだときにはなぐさめてくれる、ピンチのときには助けてくれる――。いったいあなたは誰なの？　という筋書きだった。オチは、謎めいた男は主人公が子どもの頃から愛読している絵本のなかの登場人物という、よくあるファンタジー仕立てだった。話がおもしろいかは別にして、小道具として用意してきた手作りの絵本は凝《こ》っていてなかなかのできばえだった。英之の役割は、もちろんカフェに現れる謎の男だ。

　英之は遼の顔を見つけると、「おはよう」と声をかけてくる。遼も「おはようございます」とどこか他人行儀に返した。

「8ミリで撮るの？」

「監督さんの希望で。絵本が題材になってるから、アナログ感が欲しいそうですよ。綺麗な画面だと、おとぎ話みたいな雰囲気を出すのが難しくて、しらけちゃうって」

「ああ、たしかにね」

　英之は興味深げにしげしげとカメラを見つめる。すぐに山内が飛んできて、「水原さん、ちょっと」と演技の説明をするといって連れていってしまったのでゆっくりと話をする時間もなかった。

　水原家でフィルムを見て以来、ふたりできちんと話し合う時間をとれていない。あの夜はそのまま水原家に泊めてもらったので、さすがにひとつ屋根の下に英之の父親がいると思うとキスひとつ満足にできなくて、ふたりしておとなしく眠った。

　翌日には英之も外に出る仕事があったし、遼も卒業旅行から帰ってきたらすぐに撮影すると山内に約束していたせいで、その準備に今日まで追われていて、英之の部屋を訪れるひまもなかったのだ。微妙にすれ違いが続いたが、いまさら焦る必要はないのだと考える時間をもらっているようだった。

まだ一緒に住もうといわれた返事もしていない。どうするか、もう答えは決まっているのだけれども。

そろそろ撮影をスタートさせようというころに、相沢が「間に合った」と息を切らしながら現れた。

「忙しいんだろ?」

「四月になったら、なかなか機会もないかもしれないから」

名残惜《なごりお》しそうに撮影現場の機材と面々を見渡す相沢に、遼は「撮る?」と三脚にセッティングしたカメラを示した。

「いや。今日は笹塚が撮れよ。それを見にきたんだから」

英之と話していた山内が聞きつけたらしく、「えー、相沢さん撮ってくれないんですか?」と振り返る。遼はしかめっ面になりながら、「ほら、監督さんもああいってるし」と場所を譲る。

「嘘だよ。じゃなきゃ、笹塚に『撮りたいんですけど』ってまず最初に相談に行くもんか。なあ、山内」

「ええ。偉そうにしなきゃ、笹塚さんでもいいです」

遼は「はいはい」と頷きながら調整作業に戻った。相沢も一緒になって手伝ってくれたので、スムーズに進んだ。

「片付け、進んだ? ワンルームだと引っ越し代ってどのくらい?」

「笹塚もとうとう決めたわけ?」

遼と相沢の会話に、そばにいた溝口が食いついてきた。

「なんだ、笹塚も引っ越しするのか?」

まあ……と言葉を濁す。少し離れた位置にいた英之がこちらを見ているのに気づいて、あわてて手にしていた脚本に視線を落とした。

開店前に撮影を終わらせなければならないので時間に余裕があるわけではなかった。せわしく準備を終えると、それぞれが持ち場につく。

英之は山内に指示されて、テーブルの席に座っていた。煙草《たばこ》を吸いかけて、「駄目です」と注意される。「役的にも吸わないの？」との問いかけに、山内は「吸いません。絵本のなかの王子様なんです」と力説した。「そうか」とおかしそうに頷く英之の笑顔はリラックスしていて、いい表情をしていた。

遼はファインダー越しにその顔を覗き込んで、フレームのなかにとらえる。心のなかがひそかに沸き立つ。

英之を撮るのは初めてだった。後輩の作品で初めてというのは不本意だったが、それでも「英之さんを撮りたい」という子どもの頃からの願いが叶うのだ。

ふいにファインダー越しに見つめる英之の顔が明るく照らされた。遼はカメラから顔を離して、あわてて空を見上げる。上空を覆っていた雲が流れて、光が差し込んできた。

再びファインダーを覗き込みながら、山内に「もうはじめろ」と手で指示をする。この光があるうちに、英之の最初の登場シーンを撮ってしまいたかった。レフ板を持っている溝口に、フレーミングしながら位置を指示する。

山内が緊張した面持ちで脚本を握ったまま手をあげた。

「はい、じゃあ撮影はじめまーす。よろしくお願いします」

カフェのロケのあと、大学で室内のシーンを撮って、無事にその日の撮影は終了した。打ち上げが終わって、二次会の前に遼と英之は抜けだした。

マンションに辿り着くと、英之は上着を脱ぐなり、ソファにどっと座り込む。さすがに今日は疲弊《ひへい》しきっている様子だった。

「……疲れました？　いい役者ぶりでしたね」

「皮肉？」

英之は苦笑して、それ以上いいかえす気力もないようで煙草をとりだす。今日は一日中好きなように吸えなかったのだから無理もない。

朝の撮影前、遼が引っ越しのことで相沢たちと話していたことが聞こえていたのかいないのか、英之はとぼけたようになにもふれてこなかった。

疲れは見えるものの、煙草に火をつける英之の横顔はひどく穏やかだった。久しぶりに撮影の現場に参加して楽しかったのか、それとも……。

「英之さん。僕の初めて書いたコンテと、手紙を見せてもらえませんか。英之さん、実家から持ってきてあるって、いつかいってましたよね」

英之は意外そうに目を丸くする。

「見たいの？　いやがってたのに」

「そんなに破壊力があるものじゃないかもしれないと思い直したんです。はっきりと事実を見たほうがいい」

英之はすぐに絵コンテとレポート用紙の手紙をもってきてくれた。

ソファに並んで座りながら、古い絵コンテの束をめくる。覚悟していたのでダメージは少ないはずだと考えていたが、遼は一枚一枚めくるたびに耐えられなくなって、途中で手をとめた。大きく息を吐きながらうなだれる。

「感想は？」

「いわなきゃいけないですか？」

含み笑いを見せる英之を睨《にら》みつける。英之もよくこのコンテを使って「撮影しよう」などといえたものだった。

小学生の自分はなにを考えていたのか。『英之さんの一日』とでも名づけたくなるような、それこそイメージビデオのような内容だった。英之を主演にしたことは覚えていたが、これが自分の生涯で初コンテなのだから、苦い笑いを洩らさずにはいられない。

「今日の山内の撮影で、どこか既視感《きしかん》があったんです。あなたをカッコよく撮るようなカットばっかりだったから。自分もこんなのを考えたなって――」

「それで見たかったのか」

「山内、あなたのこと好きみたいですね。どうします？」

「どうするもなにも……俺には、もういるから」

さりげなく返された言葉に反応できないまま、遼はあらためて手元のつたない絵コンテを見つめる。

「見事に英之さんばっかり……小学生にして、この執念」

「俺を撮りたいっていったの、覚えてない？」

「覚えてますよ。『俺の出演料は高い』って脅《おど》された」

遼は絵コンテをテーブルに置いて、一緒にあったレポート用紙の手紙を開く。もうなにが出てきても驚かない覚悟がついていたが、絵コンテほどのダメージはなかった。

子どもだから、てっきり「好き」とか「大好き」とか、英之宛てに恥ずかしいことを書いていたのかと思ったら、手紙に並んでいたのは「ありがとう」の言葉だった。何度もくりかえしている文章が幼くて、遼は目を細めた。

「……僕は、父に似てるっていっても、文才はないですね。父はうまかったはずだけど、僕は下手くそだ。情緒のない書き方してる」

「文句つけないでほしいな。俺は気に入ってる手紙なんだから」

「そうですか。――なら、いいです。下手くそのままで」

遼はあらためて差しだすように、英之の手にレポート用紙の手紙を握らせた。指さきにふれたとたんに頭のなかをよぎっていく静かな映像がある。ふたりきりの上映会で、言葉もないままに伝わってきたもの。あのときから、遼がずっと英之に伝えたかったもの。それらのすべてを込めて、そのまま手紙と彼の手を一緒に握りしめた。

「あなたが気に入ってくれてるなら、それでいいんです」

握られた手の力に、英之は驚いたようにわずかに目を見開いてから、ゆっくりと微笑む。

　いつ問われるのかと思っていたのに、英之は「一緒に暮らそうっていった答えは?」と訊いてこなかった。やはり相沢たちと話しているのが聞こえていて、引っ越してくるつもりだと知っているのか。もしくはわざわざ聞かなくても、遼の顔を見ているだけでその答えがわかったからか。

　なにもいわなくてもすでに知られているに違いなかった。だが、あえて言葉で伝えてみたいこともあった。

「英之さん……僕はあなたが好きなんです」

　手を握りしめたまま、遼は英之を見据える。いきなりストレートに言われるとは思ってなかったのか、英之は瞬きをくりかえしながら煙草を吸う手を止めた。

「大好きなんです。ずっと」

　ダメ押しのように告げると、はにかんだようにいったん視線を落として、英之は「そうか」と煙草を灰皿に押しつけた。そして遼の腕を引き寄せてキスをした。

「……そうだと思った」

　シャワーを浴びたあと、遼は先にベッドに入っていた。英之はあとから部屋に入ってきて、まだ濡れた髪もきちんと乾かさないまま、ベッドに倒れこむようにして遼の上に重なってくる。バスタオル一枚の格好だった。

「……まだ濡れて……」

　キスで封じられて、その先はいえなくなった。英之は唇を合わせながら、遼のパジャマの裾から手をもぐりこませた。

「遼――」

　いとしげな響きで呼びかけられて、もう何度も抱きあっているのに遼は落ち着かなくて目をそらした。

　英之はおかしそうに遼の眉間をつついた。

「なんでまだしかめっ面？」

知らない、と首を横に振りながら目元が朱に染まるのを感じた。深く唇を合わせられて、息が止まりそうになる。

パジャマを押し上げられて、胸までむきだしにされ、手でゆっくりとさすられる。指さきが乳首をひっかいて、円をかくように動いた。じわじわと疼《うず》くような熱が広がっていく。

英之の呼吸がいつもより荒くて、その熱い吐息が肌にふれるたびに、全身に火照りが伝わっていった。注がれる眼差しが熱っぽくて痛い。

「遼――声だして」

ん、とこらえている唇が、「だめだ」と指でつつかれる。

「さっきちゃんと『好きです』っていってくれただろ？」

「あれとは別だ……」

「同じだよ。……からだで好きだっていってるのと同じなんだから。理屈はそうだろ？」

そういわれてしまうと、唇を開かないわけにはいかなかったが、声をだせといわれてもうまくできない。

英之はわずかに乱れた呼吸を吸いとるようにキスをしてくる。あまりにもしつこく唇を吸われて、息苦しさに顔をしかめた。

「つらい……？」

「……いえ……」

ほんとうはキスされるたびに胸が痛いほどに高鳴って、息が止まりそうだった。英之の吐息から、肌の温度から熱いものが伝わってきて、苦しいほどだった。

耳もとをなでられながら、舌をからませられ、濡れた音とともに呼吸も合わさっていく。頭のなかが白くかすんで意識がぼんやりとした。

英之はさんざん口腔を嬲《なぶ》ったあと、頬や首すじに唇を移動させていく。遼のシャツを脱がせて、その肩口にくちづける。

胸に顔をつけられて、遼は「ん」と再びこらえる。

英之は遼の乳首にそっと舌を這わせながら、「どこが好き?」と囁《ささや》いた。

「——好きなところ舐めてあげるから」

「……ない……そんなところ……」

「ほんとに?」

痛いほど胸の先を指の腹でさすられる。時々引っかかれるので顔をしかめるが、すぐにぺろりと舐められた。乱れた呼吸に肌を嬲られるうちに、頭がどうにかなってしまいそうだった。

「遼——」

もうなにをされているのかもわからない。やがて英之の頭がだんだんさがっていって、足を大きく広げられながら下腹のものを口に含まれた。

さすがに恥ずかしかったが、英之が夢中になったように顔を埋めているのでなにもいえなくなった。音をたてて口のなかに含まれ、快感のせいでからだが火照るのか、それとも羞恥《しゅうち》のせいなのか判別しがたかった。

「……やめて……も……」

頭を押しのけようとすると、ひときわ強く口のなかで刺激される。「あ」と短い声をあげたときには射精してしまっていた。

それでも英之は足のあいだに顔を埋めたままだった。腰を浮かせられて、後ろの部分にまで舌を這わせられる。

「や——」

悲鳴をあげたくなるほど充分に慣らされてから、腰をかかえあげられる。ハア、と荒い息を吐く英之は怖いくらい真剣な目をしていた。

貫かれた瞬間、遼は眉を寄せて、目をつむった。英之は少しずつからだを進めて、熱い息をこぼす。

じっとしたままキスをされて、じわじわと甘い痛みが広がってゆく。落ち着くまで動かないでいてくれているのだとわかっていたが、よけいにからだに埋まっている熱を意識した。

やがてゆっくりと腰を動かされて、遼は再び顔をし

かめた。なかでさらに大きくなった熱が引きだされて、また深く埋められる。律動に合わせて、硬くなったものをこすられているうちに、息が乱れた。

互いの荒い息遣いと、濡れた音しか聞こえなかった。英之の動きに合わせて、遼の腰も動く。揺らされるたびに思考の欠片《かけら》がひとつずつ消えていくみたいに、頭のなかが空白になった。

「あ――」

さんざん動かされたあと、さらに奥へと突き入れられて、遼は再び達した。射精を受けて、英之の腰がひときわ激しく揺らされる。

「……あ……あっ――ん」

英之はのけぞった遼の首すじに噛みつくようなキスをする。

「遼……」

荒々しく突き上げられて、繋がっている部分が脈動した。なかで射精されている感覚に、遼は腰を痙攣《けいれん》させる。

唇を貪《むさぼ》るように吸われてから、放心したように動けなかった。からだがとろけてくっついてしまったような錯覚さえ受けた。早く抜けださなくてはならないと思うのに、でもずっと酔っていたいような眩暈《めまい》に襲われる。

「――大丈夫？」

心配そうに顔を覗き込まれて、遼は「駄目だ」というように弱々しく首を振ってみせた。頭がくらくらして酸欠にでもなっているようだった。

遼がぐったりしているのに、英之は疲れたふうもなく、からかうように額をつつく。睨みつけると、「駄目だ」といっているのに、笑いを含んだキスが再び落ちてきた。

翌朝、遼は目を覚ますと、まだ眠っている英之に気づかれないようにからだを起こした。

なかなか働かない頭が回転してくれるのを待ちながら、隣で寝ている英之の寝顔をフレームのなかにおさめるように凝視する。

起き抜けは不機嫌なほうなのに、英之の顔を眺めているうちに、遼の口許は自然とやわらいでいた。

こうして英之が自分の隣で眠ってくれているのはとてもいい構図だ、と思う。

遼はしばらくそうやって英之の顔を見つめてから、ベッドから起きだすと部屋を出てリビングに向かった。

時計は九時過ぎを差していて、室内は明るい日に照らされていた。眩しさに目を細めながら着替え、窓の外を見ながら大きく伸びをする。陽光に全身が漂白されるようだった。

キッチンに行って、水を入れたケトルを火にかけてから、冷蔵庫を覗く。たまには自分で朝食を作ってみようかと考えながら、眉をひそめる。

英之が作ってくれる卵には、いつもハムかベーコンがついているのだが、両方とも見当たらなかった。とりあえずお湯が沸くのを待ってコーヒーを淹《い》れてから、コンビニに買いに行こうかと思案しながらソファに腰をおろした。

ふとテーブルの上に、ゆうべ読んだままの絵コンテとレポート用紙の手紙がおかれているのが目についた。

手紙を手にとって、ひとりであらためて読み返す。昨夜とは違って、落ち着いた気持ちで目を通すことができた。

英之が気に入ってくれているといった、短い文章を何度もくりかえし読むうちに、胸からゆっくりとあふれて、こぼれてくるものがあった。ペンをとって手紙に書き足す。

英之にどうして薔薇色の空の映像が好きなのか、まだ伝えていなかった。

「――ずいぶん早いんだな」

珍しい、といいながら英之が起きてきた。遼はさっとレポート用紙を隠すように折りたたむ。

「朝食を……つくろうかと思って」

「遼が？」

英之は眠気も醒めたとばかりに、まじまじと遼を見つめた。

「いつも作ってもらってるから、僕もしないと――でも、ハムもベーコンもない。買い忘れですか？」

「なければ、卵だけでもいいよ」

「いや、買ってきます」

遼は上着を手にとるとソファから立ち上がった。入れ替わりに英之がソファに座る。遼がなにやら書いていたレポート用紙が気になるらしく、テーブルの上を見つめている。

「読んでもいいですよ。僕が買い物に行ってるあいだに読んで、そしてまた目のつかないところにしまっておいてください」

「なに書いたの？」

「――手紙です。下手くそな」

英之は折りたたまれたレポート用紙を手にとりながら目をしばたたかせた。

遼は上着を羽織《はお》ると、足早に玄関へと向かった。靴を履《は》くときに振り返ると、英之がレポート用紙を開いているのが見えた。

文面を追う横顔を確認して、玄関のドアを開けて外に出る。

マンションの外に出ると、春が近いことを感じさせる風がふわりと頬をなでていった。遼は霞《かす》みがかった空に目を細めながら、英之がどんな顔をして手紙を読んでいるのかを想像する。

英之さんへ

僕は父とずっと一緒にいるつもりだった。どうしようもないひとだけど、一緒にいてあげようって。

だけど、空が見えたんだ。父と別れる最後の朝――夜明けの薔薇色の空がとても綺麗で、僕は泣きたくなった。英之さんが見せてくれた映像を思い出した。

この世には僕がまだ見たこともないものがたくさんある。そう考えたら、そのとき目にしている小さな世界が急に息苦しくなった。

伝えたいことが山ほどある。だから僕はいま、この世界を閉じてしまうわけにはいかない。父が連れていくであろうところには行きたくなかった。

誰かに伝えたくてたまらなかった。伝えることで、誰かとつながっていたかった。

英之さんに見てもらいたいと思ったんだ。英之さんなら、僕の言葉がわかると思った。だって、僕は映像を見て、英之さんの言葉がわかった。

ありがとう。僕を世界につないでくれて。

僕がなにかを伝えて、応えてくれるひとがいる。単純だけど、それはなんて素晴らしいことだろう。

POSTSCRIPT

RIO SUGIHARA

はじめまして。こんにちは。杉原理生です。

このたびは拙作『音無き世界』を手にとってくださって、ありがとうございました。

プロットは早いうちにできていて、イメージも固まっていたはずなのに、執筆時期が遅かったために、頭からいったん出来上がったものが消え失せてしまい、一からまたイメージを作り直した作品です。書き終えてみれば、最初に考えていたものにほぼ近づけたかな、と思います。

さて、お世話になった方に御礼を。

イラストは宝井理人先生にお願いすることができました。宝井先生の描く人物の表情や雰囲気がとても魅力的なので、イラストをつけていただくのを楽しみにしていたのですが、スケジュールが遅れてご迷惑をかけてしまい申し訳ありませんで

Rio's Club URL　http://www10.plala.or.jp/rio-s/
Rio's Club：杉原理生公式サイト

した。カラーの表紙は華やかなのに透明感があり、なおかつ幻想的な空気も漂っていて、最初に見たときにためいきが洩れました。素敵な絵をありがとうございました。

お世話になっている担当様、今回は早めに原稿をあげようと意気込んでいたはずなのに、結局遅くなってしまい申し訳ありませんでした。ぎりぎりまで修正させていただけてありがたかったです。次回はご迷惑をかけないように頑張りますので、今後ともどうぞよろしくお願いいたします。

最後になりましたが、読んでくださった皆様にもあらためて御礼を申し上げます。

わたしは主人公の子ども時代を書くのが好きなんですね。頭のなかで設定するだけでもいいんですが、その場面を文章に起こすことによって、設

SHY NOVELS

定で想像してるだけとは違った感情が生まれることがあります。子どもの頃から見てるから、素敵な恋をしてほしいし、なるべく幸せにしてあげたいと思うわけです。その思い入れが強くなったときに、書いてておもしろい。

そんな感じで、いつもどおりに好きなものを詰め込んで書いたお話になりました。書きながら、好きで書いたものを本にしていただけるのはとてもありがたいことだなとあらためて思ったりしました。

読んでくださった方に、少しでも楽しんでいただければ幸いです。

杉原理生

SHY NOVELS

音無き世界

SHY NOVELS242

杉原理生 著

RIO SUGIHARA

ファンレターの宛先
〒101-0065 東京都千代田区西神田3-3-9大洋ビル3F
(株)大洋図書 SHY NOVELS編集部
「杉原理生先生」「宝井理人先生」係
皆様のお便りをお待ちしております。

初版第一刷2010年2月3日

発行者	山田章博
発行所	株式会社大洋図書
	〒101-0065 東京都千代田区西神田3-3-9大洋ビル
	電話 03-3263-2424(代表)
	〒101-0065 東京都千代田区西神田3-3-9大洋ビル3F
	電話 03-3556-1352(編集)
イラスト	宝井理人
デザイン	Plumage Design Office
カラー印刷	小宮山印刷株式会社
本文印刷	株式会社暁印刷
製本	株式会社暁印刷

ISBN978-4-8130-1210-8

SHY NOVELS
好評発売中

杉原理生

ひそやかに
紡がれる恋の物語

37℃

画・北畠あけ乃

そんなにやさしいのに、どうして冷たいんだ?

銀行に勤める野田に突然掛かってきた数年ぶりの電話。それは、大学時代の野田の秘密を共有する男、若杉からだった。泊めることを了承してしまえば、面倒なことになる…　そうわかっていながら、野田は頷かずにはいられなかった。とっくに終わったはずの関係だ……　それなのに…？　静かな熱病のような恋が始まる――!?

恋の記憶

画・山田ユギ

寂しいだけじゃ、俺はひとを好きにならないよ

姉の結婚式の日、理也は数年ぶりに従兄弟の高成と再会した。かつて、ふたりは仲のよい従兄弟同士であり、理也にとって高成といる空間はひどく居心地のいいものだった。けれど、ふたりの間にはなにか曖昧なものが忍びこみ、いつしか距離を置くようになっていたのだ……　結婚式の夜をきっかけに再び一緒の時間を過ごすようになったふたりだが……